한 권으로 끝내는 EFT 감정자유기법

상담사와 내담자를 위한 실전 EFT 적용 가이드

한 권으로 끝내는 EFT 감정자유기법 - 상담사와 내담자를 위한 실전 EFT 적용 가이드

발   행 | 2024년 9월 19일
저   자 | 송준영
펴낸이 | 한건희
펴낸곳 | 주식회사 부크크
출판사등록 | 2014.07.15.(제2014-16호)
주   소 | 서울특별시 금천구 가산디지털1로 119 SK트윈타워 A동 305호
전   화 | 1670-8316
이메일 | info@bookk.co.kr

ISBN | 979-11-419-0556-9

www.bookk.co.kr
ⓒ 송준영 2024

한 권으로
끝내는
EFT
감정자유기법

상담사와 내담자를 위한
실전 EFT 적용 가이드

송준영 지음

제도하시는 내면의 부처님 공경합니다.
이 책과 인연되는 모든 사람들이
심신의 평온함을 되찾아 건강한 사회인으로 활동하고
신심발심하여 무시겁으로 지은 업보업장 해탈탈겁하고
모든 재앙은 소멸하고 소원은 성취해서,
부처님 시봉 잘하고 복 많이 짓기를 제도 발원합니다.

모든 것은 당신이 하시며, 모든 영광을 당신께 드립니다.

저자 소개

송준영

"내면의 치유와 의식 성장을 돕는 안내자"

어릴 적 트라우마로 인해 공부가 인생의 전부인 줄 알고 살다가 입시에서 좌절을 맛본 후 20대의 여러 해를 방황했습니다. 괴로움에 몸부림치다 진정한 행복을 위해선 깨달음을 구하라는 말을 듣고 본격적으로 마음공부를 하기 시작했습니다.

치과기공사로 일하던 중, 스스로를 치유한 경험을 살려 타인의 마음을 치유해주는 사람이 되겠다는 결심으로, 현재는 강남역의 '강남 최면심리상담센터 지안'에서 인연이 되는 분들의 마음을 돌보는 삶을 살고 있습니다.

▪ 강남 최면심리상담센터 지안(至安) 대표
▪ 기업 대표, 연예인, 심리상담사, 전문직, 종교인 등 최면치유 다수 진행
▪ 마리끌레르 코리아 24년 2월호 최면치유 특집기사에 소개
▪ '한 권으로 끝내는 EFT 감정자유기법', 'EFT 감정노트', 'EFT 행복노트', '카르마 정화와 깨달음을 위한 심리치유&마음공부' 저자
▪ '1분 마음공부' 유튜버

▪ 동국대학교 불교대학원 명상심리상담학과 졸업
▪ 서울사이버대학교 상담심리학과 졸업
▪ 대구보건대학교 치기공과 졸업

- 한국상담학회 전문상담사 2급 수련
- KACD 인증 상담심리지도사 1급
- 동국대학교 인증 명상상담사
- ABH 인증 Certified Hypnotherapist
- TPTF 인증 Client Centered Parts Therapy Facilitator
- KMH 인증 Modern Hypnosis Master Hypnotherapist
- ABH 인증 Certified Master Hypnotist
- TLTA 인증 Time Line Therapy™ Master Practitioner
- ABNLP 인증 NLP Master Practitioner
- TPAL 인증 EFT/TFT Master Practitioner
- CTAA 인증 Sound Therapy Practioner

- KMH 인증 최면 전문가를 위한 EFT 수료
- CTAA 인증 Aromatherapy Therapists Course 수료
- IAOTH 인증 The EMDR Therapy Course 수료
- ICS 인증 의식성장 workshop level 1~3 수료

- 한국상담심리학회 정회원
- 한국상담학회 정회원
- 한국초월영성상담학회 정회원
- 한국NLP상담학회 정회원
- 한국심리치료상담학회 정회원
- 한국중독상담학회 정회원

- 홈페이지: https://litt.ly/mindful_jun

목　차

머 리 말

[이 책이 나오게 된 연유]

　우리의 바쁜 일상 속에서 잠시 멈추고 내면을 깊이 들여다보는 것은 쉽지 않은 일입니다. 마음속에 불편함이나 불안을 느낄 때가 있지만, 그러한 감정을 다룰 시간이나 방법을 찾는 것은 여전히 어렵습니다. 이러한 어려움은 최면 상담을 진행하면서 자주 목격하게 되는 부분입니다. 많은 분들이 최면을 통해 도움을 받지만, 그들이 스스로 내면의 문제를 이해하고 해결해 나갈 수 있는 방법이 있다면 더 나은 결과를 얻을 수 있을 것이라는 생각을 늘 해왔습니다.

　제가 EFT(감정자유기법)에 대해 배울 때, 국내외 EFT 관련 오프라인, 온라인 강의에 참여하였고, 시중에 나와 있는 거의 모든 EFT 관련 서적들을 읽고 요약하고 다시보며 공부했습니다. 절판된 책들도 구해서 공부했습니다. 그리고 나서 제가 익힌 내용을 실제 상담에서 적용하고 경험적으로 배운 추가적인 내용들도 이 책에 모두 담았습니다.

[이 책을 집필할 때의 마음가짐]

　이 책을 집필할 때 제 마음가짐은 'EFT를 익히려는 다른 분들이 나처럼 EFT와 관련된 여러 책들을 보는데 들이는 수고로움을 덜어드리자. 그리고 이 책을 보실 내담자 분들이 EFT를 익혀 실천하고 평온해지는데 도움을 드리자'는 것이었습니다.

　따라서, 이 한권의 책을 통해 EFT로 내면 치유를 할 때 꼭 필요한 주요 내용들을 빠짐없이 담아내고자 했으며, EFT에 익숙하지 않은 초보자부터 EFT를 이용하는 상담사까지 활용할 수 있는, 포괄적이고 실용적인 가이드북이 되도록 구성하였습니다.

또한 EFT를 이용한 실제 치유 사례들은 책이 불필요하게 두꺼워지지 않도록 책에 싣지 않고 제 블로그에 별도로 업로드 했습니다. 무료로 볼 수 있으니 참고 부탁드립니다.

[물고기 잡는 법 익히기]

EFT는 전통적인 심리학의 치유 요소인 수용의 원리와 신체의 특정 경혈 지점을 두드리는 한의학적 원리를 결합한 강력한 심리치유 기법입니다. EFT의 반복적인 활용을 통해 우리는 내면에 대한 알아차림을 키우고, 이전보다 고통에 덜 끌리게 되며 점점 더 평화로워 집니다. 과거에는 우울할 때 어떻게 해야 할지 몰라 고통 속에 속절없이 머물렀다면, 이제는 EFT로 고통을 직접 다루어 즉각적으로 불편한 감정을 해소한 후 일상으로 더 빨리 복귀 할 수 있게 될 것입니다.

저는 최면상담은 일종의 응급수술이고 마음공부 즉, 내면을 정화하는 작업은 재활치료라고 생각합니다. 그래서 마음이 많이 아프신 분은 가급적 두 가지 방법을 병행하고, 그래도 좀 살만하다 싶으신 분은 마음공부만 꾸준히 해나가시면 좋겠다고 생각합니다. 저는 내담자 분들이 무한정 저에게 와서 상담 받으시길 원하지 않습니다. 꼭 필요한 만큼만 상담을 받은 뒤에는 스스로 자생력을 길러 건강하게 독립적으로 살아가셨으면 좋겠습니다. 그렇게 살기 위한 방법의 일환이 바로 제 강의나 이 책을 통해 EFT를 익힌 후 EFT 감정노트와 EFT 행복노트를 작성하는 것이 될 것입니다.

[내면을 다룰 때 당부의 말씀]

　살면서 겪은 일들로 인해 부정적인 감정이 일어나고 또 감정이
반복되면 신념이 됩니다. 그리고 우리가 이 감정과 신념들을 회피
하고 억압하면 그 억압된 감정과 신념 때문에 자꾸 부정적인 생
각이 떠오르고 결국에는 몸과 마음의 병이 발생합니다.

　우리가 흔히 부정적인 감정이라고 보는 감정들은 비슷한 상황
에서 우리가 또 상처받지 않기 위해 즉, 생존을 위해서 마음이
만들어낸 방어기제입니다. 그래서 내 마음속에 떠오른 여러 감정
들을 좋은 감정 나쁜 감정이라는 분별없이 내가 주의를 기울여야
할 하나의 중립적인 의미의 신호로 받아들이고, 차별없이 충분히
느껴주며 해소해 줄 때 내 마음엔 평온이 자리잡기 시작합니다.

　감정은 우리 영혼의 언어라고 할 만큼 우리 존재의 핵심이기
때문에 내면의 감정을 알아차리고 우리 스스로가 충분히 공감하
고 지지해 주는 것은 스스로를 존중하고 사랑하는 것입니다. 부정
적인 감정이라도 적대시해서 없애려고 또는 회피하려고 하지 마
시고 우리가 반려동물을 바라보는 마음, 부모가 자식을 바라보는
그런 사랑의 마음으로 대해주시기 바랍니다.

　다시 한 번 말씀드리자면, 마음속에 일어나는 모든 생각,
감정들을 없애거나 피하려 하지 않고 존중과 이해 그리고 연민의
태도로 있는 그대로 느끼며 받아주는 것이 진정으로 자기를
사랑하는 것입니다. 그리고 이 태도는 자기 자신에서 시작해
타인에게 까지 흘러가게됩니다.

[효과적으로 읽는 방법]

한 번 책을 읽었다고 내것이 되지 않습니다. 최소 3번은 반복해서 읽고 또 적용해봐야 내것이 되니, 여러번 반복해주세요. 아래와 최소 4번을 읽으면 책을 완전히 내것으로 만드는 효과적인 독서가 가능합니다.

1) 처음 읽으실 때 중요한 문장에 연필로 줄을 긋습니다.
2) 두 번째 읽으실 때 표시해놓은 중요 문장만 읽으시면서, 그 문장의 핵심 단어에 형광색 팬으로 표시하세요.
3) 세 번째 읽으실 때 그 핵심 단어만 읽으면서 목차와 핵심 단어가 포함된 마인드맵을 A4 용지 한 장에 만드세요.
4) 네 번째 읽을 때는 마인드맵이 그려진 A4 용지 한 장을 보고 책 전체 내용을 파악할 수 있게 됩니다.

　이 책을 통해 많은 분들이 괴로움에서 벗어나 평온한 삶을 살아가시길 간절히 기원하며 글을 마칩니다. 혹시 작성해 나가시다가 궁금하시거나 이 책을 발전시킬 더 좋은 아이디어 또는 기타 하고 싶으신 말씀이 있으면 언제든지 편하게 연락주세요.

　이 책의 영광을 모든 것의 근원인 저보다 더 높은 힘에게 바칩니다. 모든 것은 당신이 하십니다.

이메일 : sjy12282@naver.com
연락처 : 0507-1442-1110
강남 최면심리상담센터 지안
대표 송준영

1. 심리치유의 기본 전제

1)기본적으로 이상과 현실 사이에 괴리가 발생하고 이것에 저항할 때 정신적 괴로움이 발생합니다. 행복해지는 방법은 현실을 바꾸거나 또는 내 이상(기대)을 바꾸면 됩니다. 현실을 바꿀 수 있으면 바꿔도 좋습니다. 하지만, 내 마음(이상, 기대)을 바꾸는 것이 더 현명하고 쉬울 때가 많습니다.

괴로움은 우리가 처한 내외적 상황에 대한 저항(=나의 집착) 때문에 발생합니다.

외적인 상황을 예를 들면, 내가 지금 연봉이 5천만 원(현실)인데 이것을 받아들이지 못하고(=저항) 연봉 1억(이상, 기대)을 원한다고 합시다. 그러면 괴롭기 시작합니다.

내적인 상황을 예를 들면, 내 마음속에서 우울한 느낌이 드는데(현실) 이런 느낌이 드는 것에 대해, '아 이런 느낌 느끼기 싫어', '나는 이런 느낌 필요 없지' 또는 우울한 느낌이 드는 것에 대해 생각으로 논리적으로 분석하며 감정은 느껴주지 않고 생각에 빠지거나, '아 짜증나 잠이나 자자', '맛있는 음식 먹으면서 넷플릭스나 보자', 또는 '친구들이랑 술이나 마시자' 이런 식으로 물질이나 행동으로 회피하면, 즉 저항하면 감정은 무의식 속으로 억압되고 괴로움이 지속됩니다.

이상과 현실 사이의 괴리, 즉 내가 바라는 또는 기대하는 바와 실제 현실 사이에 차이가 있고 이것을 내가 받아들이면 괴롭지 않은데, 앞에서 말씀드린 것처럼 저항하면 괴로워진다는 것입니다.

이때 우리가 괴로움을 없애기 위해서 할 수 있는 방법은 기본적으로 이상과 현실 사이의 괴리를 없애는 것입니다. 괴리를 없애는 방법에는 두 가지가 있습니다. 하나는 현실을 내 이상에 맞추거나 아니면 내 이상을 현실에 맞추는 것입니다.

2) 심리치유는 기본적으로 남을 바꾸는 것이 아닌, 나 자신을 변화시켜 행복해지고자 하는 시도입니다.

보통 우리는 내 괴로움의 원인을 현실에서 찾고 현실을 변화시키고자 합니다. 즉, 내가 괴로운 건 저 상황, 저 사람 때문이라는 겁니다. 그래서 저 상황과 저 사람을 바꾸고자 합니다. 이렇게 해서 편안해질 수 있으면 그것도 괜찮습니다. 그런데 이게 먹히지 않는 때가 많다는 겁니다. 일시적으로 효과가 있더라도 계속 반복되어 나타납니다.

속 썩이는 가족, 애인, 친구를 내가 원하는 대로 바꿀 수 있나요? 바꿀 수 있는 힘이 나한테 있나요? 있다면 그렇게 해보세요. 하지만 그럴 힘이 없는데, 자꾸 바꾸려고 해봤자 누구만 괴롭나요? 나만 괴롭고 싸움만 됩니다.

사실 현실은 내 깊은 마음의 발현일 때가 많습니다. 문제의 근본 원인이 내 마음속에 있는 때가 많다는 말이며, 내 마음속의 핵심 감정과 신념이 그런 현실을 끌어옵니다. 그래서 현실보다는 내 마음을 바꾸는 것이 현명하다고 말씀드립니다.

궁극적으로 우리는 내 마음을 변화시키려고 해야 행복해질 수 있습니다. 일단 기본적으로 내 마음 밖에서 불행의 원인을 찾으면 나는 마음 밖의 상황의 피해자가 됩니다. 그 상황이 어떠냐에 따라 내 기분이 좌지우지됩니다. 마음 밖의 환경 탓, 남 탓하는 한 나에게는 행복해질 힘이 없어집니다. '저 사람이 이렇게 저렇게 해주면 난 행복해질 거야' 이런 태도가 대표적인 수동적이고 피해자적인 태도입니다. 그 사람이 내가 원하는 대로 안 해주면 나는 계속 불행할 수밖에 없다는 태도이기 때문입니다.

이런 분들은 환경을 바꾸려고 저항하다가 본인이 견딜 수 없는 한도까지 괴로워지면 결국 삶을 스스로 마무리하거나 아니면 이 사람의 에고가 항복해서 집착을 결국 내려놓는 쪽으로 가는 경우가 많은 것 같습니다. 물론 환경을 변화시키는 경우도 많지요. 하지만 이 책은 자기를 변화시켜 평온해지고자 하는 분들게 적합하기 때문에, 이 스탠스에 맞춰 말씀드리겠습니다.

그래서 요점은 심리치유라는 것은 기본적으로 남이 아닌 내 마음을 변화시킴으로써 행복해지고자 하는 시도라는 것입니다. 그래서 심리치유를 하고자 하시는 분이라면 더 이상 남 탓, 환경 탓 하고자 하는 마음을 내려놓아야 치유에 진전을 볼 수 있습니다.

3) 내 마음을 바꾸고자 하는 것은 내 이상을 현실에 맞게 변화시키는 것이고 그렇게 하려는데, 부정적인 감정 때문에 머리(생각, 이성)로는 알아도 마음(감정, 기분)은 따라주지 않는 경우가 많습니다. 이럴 때는 감정을 먼저 해소해야 합니다. 감정을 해소하면 인지적인 변화 즉 생각의 변화는 저절로 따라오는 경우가 많습니다. 보통 일반 심리상담(인지행동치료가 대표적)은 생각을 먼저 변화시켜 감정을 해소시키고자 하는데 이는 비교적 비효율적입니다.

4) 감정을 해소하는데 다음과 같은 사실을 아시는게 도움이 됩니다. 감정은 일종의 에너지라서 우리가 넷플릭스, 음식, 게임, 도박, 담배, 술 등으로 회피하면 감정이 해소되지 않고 내면에 억압됩니다. 그래서 내면에 쌓인 이 감정 에너지를 억압하는데 알게 모르게 심리적인 에너지를 굉장히 많이 소모하게 됩니다. 그래서 주위 환경에서 받는 스트레스에 효과적으로 대응하지 못하게 되는 경우가 발생할 수 있습니다. 이런 경우가 조금만 스트레스 받으면 짜증이 나고 감정조절이 잘 안되는 케이스죠. 또, 어떤 일을 끈기 있게 마무리하는 내적인 에너지가 부족해서 자꾸 중간에 그만두는 일이 반복될 수 있습니다. 감정의 억압과 쌓이는 것이 심해지면 신체화 증상, 통증, 암, 정신질환 등으로 발현되기도 합니다.

그러면 감정 에너지는 어떻게 해소할까요? 바로 감정 에너지를 직면하여 포용하는 태도로 느껴주면 에너지가 발산되어 해소됩니다. 거기에다가 EFT 감정자유기법의 두드림을 더해주면 더 빨리 해소가 가능합니다. EFT 감정자유기법은 부정적 감정과 신념을 해소하는 매우 효과적인 방법 중 하나이기 때문이죠.

부정적 감정을 느껴주고 소리내어 표현해준다고 부정적 감정이 증폭되거나 계속 된다는 오해가 있는데 이는 사실이 아닙니다. 계속 부정적 감정을 느껴주면 내면에 쌓인 감정 에너지가 해소되고 결국 바닥나게 됩니다. 사라진다는 얘기입니다. 그리하여 먹구름이 사라지면 태양이 애초에 빛나고 있다는 것을 알게 되듯이, 부정적 감정이나 신념이 사라지면 자연스레 생각, 신념이 긍정적으로 바뀌는 경향이 있습니다.

2. EFT 감정자유기법 소개

2.1 EFT 감정자유기법의 정의와 원리

Emotional Freedom Techniques, EFT 감정자유기법은 미국의 게리 크레이그가 TFT라는 사고장 요법(Thought Field Therapy)을 계승, 발전시킨 침을 사용하지 않는 침술이라 불리는 심리치유 기법입니다. 감정자유기법에는 크게 2가지 원리가 통합되어 있는데, 하나는 심리학적으로 수용의 원리이고 또 다른 하나는 한의학적 경락 두드림의 원리입니다.

첫 번째로 심리학적 수용의 원리에 대해 말씀드리면, 앞서 말씀드렸듯이, 감정 에너지는 회피하면 내면에 억압되어 병을 만들고, 있는 그대로 받아들여 즉, 수용하면 해소된다고 했지요? 이처럼 우리가 이제까지 회피해온 감정 에너지를 있는 그대로 느껴주면 즉, 수용하면 이 감정 에너지가 바닥이 납니다. 그래서 마음이 편안해지고 생각이 긍정적으로 바뀝니다.

두 번째로 경락 두드림의 원리인데, EFT에서는 우리의 부정적 감정이 신체 에너지 시스템의 혼란 때문에 발생하고 이것을 해소해주면 부정적 감정이 사라진다고 설명합니다.

한의학에서는 우리 신체에 에너지가 흐른다고 설명하고, 에너지가 흐르는 통로를 경락이라고 합니다. 이 경락에서 주요 지점을 경혈이라고 하는데, EFT에서는 약 18군데의 경혈 지점을 두드리면 신체 에너지가 바로잡혀 감정이 해소된다고 설명합니다.

그래서 부정적인 감정을 오롯이 느끼면서 경혈 지점들을 두드려 주면 감정이 해소된다는 비교적 간단한 원리가 EFT 감정자유기법에서 사용됩니다.

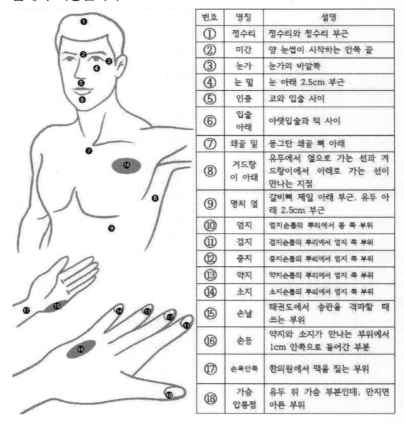

번호	명칭	설명
①	정수리	정수리와 정수리 부근
②	미간	양 눈썹이 시작하는 안쪽 끝
③	눈가	눈가의 바깥쪽
④	눈 밑	눈 아래 2.5cm 부근
⑤	인중	코와 입술 사이
⑥	입술 아래	아랫입술과 턱 사이
⑦	쇄골 밑	동그란 쇄골 뼈 아래
⑧	겨드랑이 아래	유두에서 옆으로 가는 선과 겨드랑이에서 아래로 가는 선이 만나는 지점
⑨	명치 옆	갈비뼈 제일 아래 부근, 유두 아래 2.5cm 부근
⑩	엄지	엄지손톱의 뿌리에서 몸 부위
⑪	검지	검지손톱의 뿌리에서 엄지 쪽 부위
⑫	중지	중지손톱의 뿌리에서 엄지 쪽 부위
⑬	약지	약지손톱의 뿌리에서 엄지 쪽 부위
⑭	소지	소지손톱의 뿌리에서 엄지 쪽 부위
⑮	손날	태권도에서 송판을 격파할 때 쓰는 부위
⑯	손등	약지와 소지가 만나는 부위에서 1cm 안쪽으로 들어간 부분
⑰	손목안쪽	한의원에서 맥을 짚는 부위
⑱	가슴 압통점	유두 위 가슴 부분인데, 만지면 아픈 부위

2.2 EFT 감정자유기법의 창시자

로저 캘러한이란 미국의 정신과 의사가 물 공포증을 가진 여성을 치유하던 중 눈 밑을 두드렸더니 이 여성 분의 물 공포증이 사라지고 물에서 잘 놀 수 있게 되는 것을 발견했습니다. 이것을 계기로 몸의 특정 부위를 두드려 증상을 사라지게 하는 사고장 요법(Thought Field Therapy, TFT)이라는 것을 계발하게 되는데, 이 TFT라는 것이 혁신적인 치유기법이었지만 일반인들이 따라하기엔 꽤나 복잡했습니다. 왜냐하면, 증상 별로 두드려야 하는 신체 지점이 달랐기 때문이죠.

그 뒤로 이 로저 캘러한이의 수강생이었던 게리 크레이그란 미국의 목사 겸 티칭 코치가 두드리는 타점을 17 군데로 단일화하고 모든 증상에 공통적으로 효과를 발휘할 수 있게끔 개발한 것이 감정자유기법(Emotional Freedom Techniques, EFT)입니다.

2.3 EFT 감정자유기법의 기본 전제

이 전제들은 저를 포함한 EFT 시술자들이 치유를 하면서 경험적으로 알게 된 사실들입니다. 그래서 이런 것들을 알고 EFT를 적용하면 치유를 효과적으로 할 수 있습니다.

1)우리 몸에 기가 흐르는 길인 경락에 충격적인 사건으로 인해 영향을 받아 혼란이 생기면 부정적 감정이 발생된다고 봅니다.

2)부정적 감정을 느끼는 것이 반복되면 이것이 부정적 신념을 형성합니다. 예를 들면, 어떤 일이 실패하는 경험을 통해 좌절감을 느꼈는데, 자꾸 실패하면, '나는 뭘 해도 안 되는 사람이야' 라는 신념이 생길 수 있겠죠.

3)누적된 부정적 감정과 신념이 정신적, 신체적 질환을 일으킨다고 봅니다.

4)부정적 감정이 해소되면 생각이 저절로 변화되는 경향이 있습니다.

5)경락을 두드려 부정적 감정을 해소할 수 있습니다. 부정적 감정은 있는 그대로 느껴주기를 통해서도 해소될 수 있는데 이에 더해 경락을 두드려주면 더 빨리 해소된다고 이해하시면 됩니다.
6)감정을 느껴주고 두드려주면서 여기에 더해 내면에서 왜 불편한 느낌이 드는지 구체적으로 파악하고 그것을 말로 표현해주면, 마치 과녁을 정조준 하듯이 불편한 느낌이 더 잘 해소됩니다.

7)EFT는 거의 모든 문제에 적용이 가능하니, 긴가민가할 땐 일단

적용해보세요.

8)치유의 핵심은 무의식의 변화와 연관되어 있습니다. 이 말이 무슨 말인가 하면, 보통 우리는 내가 짜증나고 괴로운 이유가 지금 당면한 상황 때문이라고 생각합니다. 그러나 진실은 '그 상황 때문에 괴로운 것이 아니며, 우리 내면에 비교적 어린 시절 자리잡은 미해결된 감정 때문에 그 상황을 괴롭게 받아들인다'라는 말이 더 진실에 가깝습니다.

예를 들면, 어떤 한 사건에 대해서 사람마다 느끼고 생각하고 반응하는 것이 다 다릅니다. 만약 어떤 사건이 정말 괴로움을 유발하는 근본 원인이라면, 그 사건을 겪은 사람들은 하나같이 다 괴로워야 하겠죠. 하지만 그렇지 않다는 것입니다. 반응이 다 다릅니다. 따라서 어떤 사건은 중립적인 의미를 지니며, 그것에 우리가 내면에 어떤 핵심 감정과 신념을 가지고 있느냐에 따라 사건이 다르게 받아들여지며 그에 따라 반응한다는 인식을 가지는 것이 바른 견해입니다.

총이 있다고 할 때 화약이 있고 방아쇠가 있다면 화약은 내면의 미해결된 감정이나 신념이고 방아쇠는 환경입니다. 환경이 우리가 소위말하는 아무리 짜증날만한 상황이어도 내면이 평온하면 괴롭지 않습니다. 내면이 굳건하면 환경이 어떻든 나는 그냥 담담하고 평온합니다. 감정이 원인이지 머리로 생각하는 그 이유가 내가 괴로운 이유가 아니라는 것입니다. 이것은 좀 어려울 수 있는 내용인데, 내면치유를 해나가실수록 이 말이 진실임을 직접 체험하실 겁니다. 저는 개인적 치유 경험이나 내담자님들의 치유 후기를 통해 이 말이 사실임을 알게 되었습니다.

2.4 EFT 감정자유기법의 적용 분야

EFT의 적용 분야는 보시는 바와 같이 질병, 스트레스, 외모, 공포, 두려움 등 우리의 정신적 괴로움이나 신체적 통증과 밀접한 관련이 있습니다. 또한, EFT는 내가 무언가를 이루려고 할 때 그것의 장애물이 되는 것들을 해소하는데도 쓰입니다.

예를 들면, 내가 연봉 1억이고 싶고 '나는 연봉 1억을 받는다'라고 확언을 한다고 가정할 때, 내면에서 '나는 이러저러해서 안 돼' 등의 저항감이 발생할 수 있는데, EFT는 이런 무의식적 저항을 해소하여 목표를 성취할 수 있도록 도움을 줍니다. 현실은 무의식에 있는 것이 끌어당겨진 결과이기 때문에, 내면에 안 된다는 마음만 없으면 일은 이뤄지기 마련입니다.

3. EFT 감정자유기법의 기본 개념

3.1 EFT의 뼈대

EFT의 뼈대는 크게 4가지를 기억하시면 됩니다. 중요 순으로 4가지를 나열하면, 느끼기>두드리기>표현하기>쉼호흡 순입니다.

첫 번째, 느끼기입니다. 감정은 일종의 에너지입니다. 우리가 특정 상황에서 불편한 감정을 느낄 때, 이 불편한 감정을 마주하지 않고 회피하면 즉, 술마시고, 게임하고, 폭식하고, 도박하고 이러면 이 감정의 에너지는 해소되지 않고 우리 내면에 해결되지 않은 채로 쌓입니다. 이것이 지속되면 점점 감정은 우리 무의식으로 들어가게 됩니다. 이렇게 쌓인 감정은 심신의 질환을 일으킬 수 있습니다. 하지만, 이제 우리는 더 이상 감정을 회피하지 않고 오롯이 느껴줄 것입니다. 감정을 오롯이 느낀다는 것은, 감정을 적대시하거나 없애려하거나 하는 의도없이 감정의 존재 자체를 이해하며 느껴주는 것입니다. 이렇게 감정을 느껴주면 이 감정의 에너지가 마음 밖으로 발산되어 해소됩니다. 그래서 이 감정을 오롯이 느껴주라고 하는 것, 감정을 있는 힘껏 끌어올려 느끼는 것, 감정과 함께 있어주라는 말 등은 쌓인 감정의 에너지를 소진시키라는 뜻과 동일합니다.

이 감정을 우리는 내면아이라고도 부를 수 있는데, 이렇게 감정을 어린아이로 대상화해서 생각하는 것은 감정을 좀 더 다루기 수월하게하기 위함입니다. 내면아이가 화가 난다고 하면 즉, 나의 내면에 분노가 느껴지면, 이 아이를 다그치거나 억압하려 하지 말고 있는 이 아이와 같이 그저 존재해줍니다. 그러면서 성인인 내가 그 아이의 마음을 느껴주고, 위로해주고, 격려해주고, 사랑해주는 상상을 해보세요. 이렇게 하면서 분노의 감정이 사그라들고 내 마음 속에는 위안 받았다는 느낌과 함께 평온함이 자리잡기 시작합니다.

감정은 거의 대부분 우리 신체(의 어느 한 부위)에서 느껴집니다. 보통 내담자님들이 많이 보고하는 신체 부위는 머리(정수리, 이마), 등, 가슴, 명치, 손, 발 등입니다. 이렇게 어떤 감정을 느끼면서 우리의 신체 어느 부위에서 느껴지는지 파악해보고 신체부위와 감정 그 자체에 집중합니다. 예를 들면, 분노가 가슴에서 느껴진다면 가슴에서 느껴지는 그 분노의 에너지에 의식의 주의를 집중하며 분노 에너지를 있는 힘껏 끌어올려 느껴줍니다.

두 번째, 두드리기입니다. 감정을 있는 그대로 느껴주는 것만으로도 감정이 어느정도 해소되지만, 여기에 EFT의 두드리기를 결합하면 더 강력한 효과를 냅니다. 육체의 특정 부위인 경혈들을 두드리면 특정 원리에 따라 감정이 해소됩니다. 이 특정 원리라는 것은 에너지가 흐르는 우리 몸의 특정 부위(경혈)를 두드리면 에너지의 균형이 되찾아져 감정이 해소된다는 것인데, 우리가 컴퓨터를 사용하기 위해서 컴퓨터의 복잡한 원리를 다 알 필요는 없듯이 그냥 몸의 특정 부위를 두드리면서 감정에 집중하면 마음이 편해진다. 이정도로 이해하셔도 효과를 보시는데 무방합니다. 몸의 경혈지점은 바로 뒤에서 배우실 겁니다.

세 번째, 표현하기입니다. 우리가 과녁에 화살을 쏜다고 할 때, 우리는 과녁을 잘 조준하는 과정을 거칩니다. 느끼기와 두드리기가 화살을 쏴 과녁을 맞추는 작업이라면, 표현하기는 화살을 쏘기 전 화살을 과녁에 잘 조준하는 과정입니다. 예를 들면, 우리가 화가 나더라도 그 이유가 제각기 다를 수 있습니다. 친구가 욕을 해서 화가날수도 있고, 친구가 날 때려서 화가 날 수도 있습니다. 여기서 표현하기는 화가 난 이유를 명확히 파악하는 과정입니다.

입 밖으로 소리를 내서 말하면 더 좋지만, 소리내어 말하지 않고 내면으로 파악하기만 해도 됩니다. 어쨌든 표현하기는 매우 중요한 과정 중 하나입니다. 내가 왜 우울한지 명확히 파악하지 않은 채로 두드리기만 하면 불편한 감정의 수치가 특정 점수 밑으로 더 이상 떨어지지 않는 순간이 오게 되는데 이럴 때는 명확히 감정의 이유를 파악해야 점수가 더 아래로 줄어들 수 있습니다. EFT에는 이런 말이 있습니다. 추상적으로 접근하면 추상적으로 해결되고, 구체적으로 접근하면 구체적으로 해결된다. 이 문장은 (구체적으로) 표현하기의 중요성을 나타냅니다.

네 번째, 쉼호흡입니다. 쉼 호흡을 하는 것은 심신의 안정을 도모하여 감정 에너지의 소멸을 가속화시킨다고 이해하시면 됩니다. 두드릴 때마다 깊이 쉼호흡을 반복해주시면 좋고, 2~3초 정도 들이쉬고 2~3초 정도 내쉰다고 이해하시면 됩니다.

3.2 EFT의 타점

아래 영상을 참고해주세요.
(EFT 감정자유기법 핵심 시연 : https://youtu.be/AVzDhqH-lzQ)

이제 우리 몸에서 두드려야 하는 타점 18군데에 대해서 알아보겠습니다. 이 부위들을 결국 암기하셔야 하는데, 우리가 암기할 때 큰 단위로 나누면 암기가 쉽습니다. 머리, 몸통, 손 부위입니다. 머리 6부위, 몸통 4부위, 손 8부위이며, 위에서 아래로 조금씩 내려온다고 생각하시면 외우기 편합니다. 검지, 중지, 약지, 소지로(엄지를 제외한 4개 손가락) 앞으로 나올 타점들을 약 7번 두드립니다. 왼쪽이던 오른쪽이던 상관없습니다. 양쪽 다 두드려도 상관없습니다. 정확히 그 부위를 두드리지 않고 약간 벗어나도 효과는 납니다. 두드리지 않고 문지르거나 그저 타점에 손을 대고

호흡해도 좋습니다. 만약에 이것도 여의치 않으면 두드리거나 문
지르거나 또는 손을 댄다고 상상하면서 호흡해도 효과가 납니다.

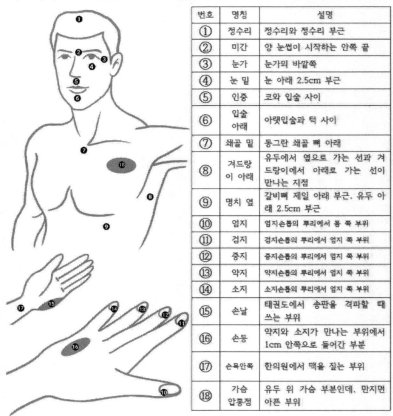

번호	명칭	설명
①	정수리	정수리와 정수리 부근
②	미간	양 눈썹이 시작하는 안쪽 끝
③	눈가	눈가의 바깥쪽
④	눈 밑	눈 아래 2.5cm 부근
⑤	인중	코와 입술 사이
⑥	입술 아래	아랫입술과 턱 사이
⑦	쇄골 밑	동그란 쇄골 뼈 아래
⑧	겨드랑이 아래	유두에서 옆으로 가는 선과 겨드랑이에서 아래로 가는 선이 만나는 지점
⑨	명치 옆	갈비뼈 제일 아래 부근, 유두 아래 2.5cm 부근
⑩	엄지	엄지손톱의 뿌리에서 몸 쪽 부위
⑪	검지	검지손톱의 뿌리에서 엄지 쪽 부위
⑫	중지	중지손톱의 뿌리에서 엄지 쪽 부위
⑬	약지	약지손톱의 뿌리에서 엄지 쪽 부위
⑭	소지	소지손톱의 뿌리에서 엄지 쪽 부위
⑮	손날	태권도에서 송판을 격파할 때 쓰는 부위
⑯	손등	약지와 소지가 만나는 부위에서 1cm 안쪽으로 들어간 부분
⑰	손목안쪽	한의원에서 맥을 짚는 부위
⑱	가슴 압통점	유두 위 가슴 부분인데, 만지면 아픈 부위

-머리 부위
(정수리, 미간, 눈가, 눈밑, 인중, 입술아래 총 6군데)

1)정수리

2)미간
명칭은 미간인데, 눈썹이 시작하는 각각의 지점이 정확한 위치입니다. 저 같은 경우는 좌우를 모두 두드려주기 위해 검지, 중지, 약지, 소지를 이용해 미간 쪽을 폭넓게 두드려 줍니다.

3)눈가
눈 바깥꼬리 지점을 말합니다.

4)눈 밑
눈 아래에 2.5cm 지점 부위를 말합니다.

5)인중

6)입술 아래
아랫입술과 턱 사이 지점을 말합니다.

-몸통 부위
(쇄골 밑, 겨드랑이 아래, 명치 옆, 가슴압통점 총 4군데)

1)쇄골 밑
우리 쇄골 주변이자 목 가운데 아래 부분에 U자형으로 움푹 들어간 곳 있죠? 이 부분에서 2.5cm 아래, 2.5cm 양 옆의 타점인데,

쇄골이 시작되는 동그란 뼈 2개의 바로 밑의 위치입니다.

2)겨드랑이 아래
저는 편의상 옆구리라고 불러줍니다. 옆구리라고 얘기는 하지만 옆구리보다 사실 좀 더 위에 위치한 타점입니다. 유두에서 수평으로 옆으로 갈 때 겨드랑이 아래 부분이 만나는 위치라고 보시면 됩니다.

3)명치 옆
명치 옆이자 맨 아래 갈비뼈 부근입니다. 이 부위를 손가락 5개를 좀 넓게 펴서 넓게 두드려주세요. 이 부위는 여러 경혈지점이 지나가는 곳이라고 합니다. 특히 체했을 때 이 부위를 두드리면 속이 편해지는 걸 느낄 수 있습니다.

4)가슴압통점
위에서 말한 U자형의 움푹 들어간 곳에서 아래로 7.5cm 내려간 후 좌우로 7.5cm 정도에 위치한 지점. 간단하게는 유두 위 가슴 부위를 넓게 만질때 아픔이 느껴지는 지점. 손날 부위를 두드리는 대신에 이 지점을 문지르면서 수용확언을 할 때 쓰입니다.

-손 부위
(엄지, 검지, 중지, 약지, 소지, 손날, 손등, 손목 안쪽 총 8군데)

1)엄지
엄지손톱의 뿌리 부분에서 우리 몸 쪽의 모서리 부분. 양손의 이 부위끼리 서로 두드려주면 시간 효율적으로 두드릴 수 있습니다.

2)검지
검지손톱의 뿌리 부분에서 우리 몸 쪽의 모서리 부분.

3)중지
중지손톱의 뿌리 부분에서 우리 몸 쪽의 모서리 부분.

4)약지
약지손톱의 뿌리 부분에서 우리 몸 쪽의 모서리 부분. 일반적으로 EFT에서는 두드리지 않아도 된다고 하는데, 저에게 배우시는 분은 꼭 두드려 주세요. 이 부위를 두드리는 것도 효과가 있다고 합니다.

5)소지
소지손톱의 뿌리 부분에서 우리 몸 쪽의 모서리 부분.

양손 깍지를 끼고 위 아래로 힘을 주면 검지부터 소지까지의 부위가 자극되어 시간 효율적으로 두드릴 수 있습니다. 양손 깍지를 낄 때 각 타점이 맞닥뜨리도록 깍지를 쥡니다. 깍지를 쥔 모양은 위에서 내 손을 볼 때 '시옷(ㅅ)'자 모양이 아니라 하트모양의 윗부분(♡, 위로 튀어나왔다 움푹 들어갔다 다시 위로 튀어나온 모양)이 되도록 깍지를 쥡니다. 무슨 말이냐면, 손가락 끝부분이 밑에서 위로 향하게 하지 말고, 위에서 아래 방향이 되도록 깍지를 낍니다.

이해하기 어려울 땐 카메라로 앞에 나온 QR코드를 촬영하여 영상을 봐주세요.

6)손날
차력쇼에서 송판을 손날로 격파할 때 그 부위

7)손등
손등에서 약지와 소지 사이에서 1cm 정도 안으로 들어가면 움푹 패인 곳이 있는데 이곳을 두드려줍니다.

8)손목 안쪽
마지막으로 양 손목 안쪽을 서로 마주쳐 두드리면서 자극을 줍니다.

위 18군데 타점을 다 외우셔야합니다. 보통 EFT를 할 때는 감정을 잘 느끼기 위해서 눈을 감고 내 스스로 타점들을 두드리면서 감정을 느끼는데, 타점을 완전히 익숙하게 외우지 못하면 감정을 느끼다가 '이 타점 다음에 어디지?' 이런 생각 때문에 감정에 오롯이 집중하기가 힘이 듭니다. 따라서 본격적으로 EFT를 적용하기 전에 EFT 타점들을 눈을 감고 자연스럽게 의식적으로 노력 없이 손이 먼저 나가 자동적으로 두드릴 수 있게 익힌 후 시작하시기 바랍니다.

3.3 양상

자, 이제 EFT를 적용해보도록 하겠습니다. 감정자유기법의 대상이 될 수 있는 것은 크게 4가지입니다. 바로 육, 사, 감, 생입니다.

육 : 육체적 증상
사 : 트라우마가 된 특정 사건
감 : 자신/타인/세계에 대한 부정적 감정
생 : 생각 그리고 제한적 신념.
(반복된 생각들, 굳어진 생각들=신념)

일반적으로 우리가 특정 트라우마를 해소한다고 할 때 그 사건, 상황 자체에 대해 느껴지는 부정적 감정과 생각을 해소합니다. 그 후 그 사건과 관련된 인물에 대한 응어리를 해소하고 마지막으로 그 사건과 관련된 나 자신에 대한 부정적 감정과 생각을 해소합니다.

그런데, 문제가 만성적이고 심각할수록, 어디서부터 손대야할지 막막할 때는 자아상부터 다루어주기도 합니다. 즉, 나 자신에 대해 스스로 품고 있는 부정적 감정과 생각을 먼저 어느정도 해소하는 작업을 합니다. 그러나 이 부분은 딱 정해진 것은 아니며, 내면이 이끄는대로 일단 시작하시면 길이 열리는 경우가 많습니다.

우리가 다음으로 살펴볼 것은, 겉으로 드러나는 증상이 같을지라도 그 원인은 다 다를 수 있다는 것입니다. 표를 한 번 보시죠. 움직일 때마다 손목이 쿡쿡 쑤시는 것은 같죠. 그러나 관련 사건과 부정적 감정, 생각은 다 다릅니다. 철수의 증상을 다룰 때는 육체적 증상만을 구체적 내용으로 해서 EFT를 하면 되지만, 영희나 순희 같은 경우에는 부정적 감정과 생각까지 구체적 내용에 포함하여 EFT를 해야 제대로된 효과가 나타납니다.

인물	철수	영희	순희
육체적 증상	움직일 때마다 손목이 쿡쿡 쑤심	움직일 때마다 손목이 쿡쿡 쑤심	움직일 때마다 손목이 쿡쿡 쑤심
사건	운동하다가 실수로 접지름	친구가 장난으로 밀어 손목을 접지름	며칠 전 바람 핀 남자친구와 다투었는데, 그 다음날 친구가 장난으로 날 밀어 손목을 접지름
감정	없음	친구에 대한 분노	-친구에 대한 분노 -남자친구에 대한 분노 -내 인생에 대한 한탄
생각 (신념)	없음	걔는 왜 이렇게 장난을 자주 치는거야?!	-걔(친구)한테 내가 얼마나 잘해줬는데, 날 밀어서 이 지경이 되게 할 수 있어? -남자친구를 도저히 용서할 수 없다 -내 인생은 왜 이 모양이지?

EFT는 구체적인 내용을 가지고 해야 효과가 좋기 때문에 증상과 관련된 구체적인 내용을 파악하기 위한 질문을 다음과 같이 할 수 있으며, 이 과정은 과녁을 명확히 조준하는 작업이라고 이해하시면 좋습니다.

양상을 구체적으로 파악할 때 팁은 정수리부터 두드리면서 내면에서 떠오르는 내용을 있는 그대로 소리내어 말하는 것입니다. 이렇게 말하는 것은 마치 우리가 과녁에 화살을 쏠 때 과녁을 명확히 조준하는 역할을 합니다.

1)관련 증상을 구체화하는 질문

통증부위	통증유발동작	통증유발상황	통증의느낌	통증의강도
-뒷목 쪽 -정수리 쪽 -이마 쪽 -허리 가운데 쪽 -양 눈 -손 끝 -발가락 끝 -관자놀이 -뒤통수	-돌릴 때 -숙일 때 -굽힐 때 -해당 없음	-신경을 많이 쓰면 -돈 걱정을 하면 -아침에 일어나면 -책을 오래 보다 보면 -허리를 돌릴 때 -허리를 숙일 때 -걸을 때	-뻑뻑함 -지끈지끈 쑤심 -콱 결림 -침침함 -쑤신다	-10점은 견딜 수 없을 정도의 강렬한 통증 0점은 편안함

예시) "나는 비록 사업에 대해 신경을 많이 쓰면 뒷목을 돌릴 때 뻑뻑함을 7정도 느끼지만,"

신체적 통증 외의 불편한 감정이나 생각을 파악할 때 도움이 되는 질문은 다음과 같습니다.

1)왜 여전히 5점정도 그 감정이 느껴지나요?
2)좀 더 구체적으로 얘기해주시겠어요?, 화난다는 건 알겠는데, 왜 화가 날까요?
3)화가 난다는 것을 어떻게 알 수 있나요?
4)그 장면에서 어떤 부분이 화가 나나요?

*감정은 욕구와 밀접한 관련이 있기 때문에 감정을 구체화 시킬 땐 욕구를 항상 염두에 두고 어떤 욕구가 충족되지 않았는지 생각합니다. 예를 들면, 버림받아 화가 나는 것은 사랑받고 싶은 욕구가 충족되지 않았기 때문입니다.

2)관련 사건을 구체화하는 질문 : 구체적으로 어떤 상황에서 손목을 접지르게 되었나?

상황을 파악하는 질문에 대한 답은 가급적 육하원칙(누가, 언제, 어디서, 무엇을, 어떻게, 왜)을 고려해 답합니다.

3)관련 감정을 구체화하는 질문으로는 '손목을 접지른 것과 관련해서 어떤 기분(감정, 느낌)이 드나요?'가 있습니다.

감정이 잘 안느껴지는 사람은 살면서 감정을 회피, 억압하는데 익숙해져있는 사람입니다. 감정 느끼는 것을 두드리면서 조금씩 연습해 나갑니다.

4)관련 생각을 구체화하는 질문으로는 '손목을 접지른 것과 관련해서 어떤 생각이 자주 들죠?', '왜 그런 생각이 들죠?', '왜 그런 감정이 들죠?'가 있습니다.

또 다른 예 : 친구에게 화가 나는건 알겠는데, 왜 화가 나는거죠? 친구에 대해서 어떤 생각이 드세요?

3.4 양상의 변화

자, 방금 전에 배운 내용은 EFT를 할 때 내 마음을 아주 구체적으로 파악해서 EFT를 해야한다는 것이었습니다. 또 중요한 것 중 하나가 양상의 변화를 잘 파악해야한다는 것입니다.

양상이란, 앞에서 말한 내 마음이 불편한 것과 관련한 내 마음의 구체적인 내용입니다. 예를 들면, 그냥 다짜고짜 우울한 것이 아니라 윗집 이웃이 층간소음을 너무 심하게 내서 우울하다라고 구체적인 내용이 양상이 될 수 있겠죠. 그런데, 이 내용을 가지고 EFT를 어느정도 하다보니 이제 우울하지는 않고 화가나는 경우(감정의 양상 변화), 과거에 우울했던 다른 사건이 떠오르는 경우(기억의 양상 변화), 윗집 이웃과 관련하여 다른 생각이 떠오르는 경우(생각의 양상 변화), 갑자기 오른손에서 통증이 느껴지는 경우(감각의 양상 변화)가 있을 수 있습니다.

EFT에서 문제를 완전히 깔끔하게 해결하려면, 구체적으로 양상을 표현하는 것도 중요하지만 그에 못지않게 중요한 것은 EFT 과정에서 양상의 변화를 기민하게 찾아내는 것입니다. 구체적으로 찾지 않고, 변화를 발견해내지 못하면 불편함의 점수가 특정 점수에서 더 이상 밑으로 내려가지 않습니다. 바꿔 말해, 추상적으로 문제를 파악하면 추상적인 수준으로 문제가 해결됩니다.

감정을 해소해나가다 보면 감정/생각/신체감각/기억이 아래의 예와 같이 양상을 달리하며 변합니다. 이것을 기민하게 알아채면서 감정자유기법을 하는 것이 매우 중요합니다. 아래는 양상(감정, 생각, 오감, 기억) 변화의 예시입니다.

첫 번째로, 감정의 변화입니다. 감정을 해소해나가다 보니 다른 감정이 더 두드러지게 떠오른 경우입니다.

예를 들면, 효자였던 자식이, 자신을 사랑해주지 않은 돌아가신 부모님에게 느끼는 감정의 변화를 다루는 중에 감정이 분노에서 슬픔으로, 슬픔에서 후회로, 후회에서 그리움으로, 그리움에서 마침내 고마움 또는 무덤덤함으로 바뀌는 경우가 그 예입니다.

두 번째로 생각의 변화입니다. 감정을 해소해나가다 보니 새로운 생각이 떠오른 경우입니다. 인지, 사고, 생각의 변화는 보통 감정을 해소하는데 집중하면 자연스럽게 뒤따르는 경우가 많습니다. 하지만, 긍정적인 자원 즉, 긍정적 사고 방식, 새로운 사고 방식이 부족한 경우에는 상담사의 자원이 내담자에게 투입되어야 하는 경우도 있습니다. 즉, 상황을 바라보는 새로운 사고 방식을 내담자에게 알려줘야 할 때도 있습니다.

예를 들면, 친구와 다투고 친구에 대해 드는 생각의 변화입니다. 그 녀석이 어떻게 나한테 욕을 할 수 있지? 라는 생각에서 감정이 어느 정도 해소되니, 내가 이제까지 그 자식한테 잘해준 일들이 떠오릅니다. 여기서 감정이 더 해소되면 나를 그 녀석한테 소개시켜준 다른 친구는 도대체 왜 나를 그 친구한테 소개시켜준거야 하는 원망 섞인 생각이 떠오른 경우가 그 예입니다.

세 번재로 신체 감각 즉, 오감으로 느끼는 것의 변화입니다. 감정을 해소해나가다 보니 느껴지는 오감이 변한 경우입니다. 예를 들면, 교통사고 트라우마 극복 중 타이어가 끼~익 하는 소리가 무서운 것을 다루다 보면 그 다음에는 헤드라이트 불빛이 반짝반짝

하던 모습이 무섭습니다. 이것을 계속 다루어 나가다보니 이제는 나를 치던 그 차갑고 단단한 차체의 둔탁한 감각이 무서운 경우가 그 예입니다.

또 다른 예로, 허리 통증 양상의 변화가 될 수 있습니다. 당겨서 허리를 펴고 걷기 힘든 것에서 EFT를 하고 나니 걸을 때 우측 허리가 쿡쿡 결립니다. 좀 더 해나가니 이제는 몸통을 돌릴 때 아프고, 좀 더 다루어 나가니 허리가 아파도 힘들게 일해야 하는 신세가 한탄스럽고 뒤따라 몇 년 전 허리 통증으로 고생한 기억이 떠오르는 경우입니다.

네 번째로, 기억 즉, 내적 이미지의 변화입니다. 꼭 시각적 요소인 이미지일 필요는 없고 어떤 분께는 청각, 후각, 미각, 촉각적 요소로 양상이 변화할수도 있습니다. 하지만 시각적 요소가 가장 일반적입니다. 왜냐하면 많은 분들이 시각적 요소로 기억을 가지고 있기 때문입니다.

감정을 해소해나가다 보니 새로운 기억이 떠오른 경우를 예로 들어보면, 외로움이란 핵심 감정을 다루는 과정에서 서른 살 때 애인과 헤어져서 외로웠던 기억이 떠오르고, 다루다 보니 스무 살 때 대학 동기들 사이에서 외로웠던 기억이 떠오르고, 다루다 보니 일곱 살 때 가족의 사랑을 독차지 하는 막내 동생을 보면서 외로웠던 기억이 떠오르고, 더 나아가니 내가 태아 때 일하느라 바쁜 엄마를 느끼면서 외로웠던 기억이 떠오를 수 있습니다.

3.5 일반화 효과

자, 이제까지 양상의 변화를 다루어보았는데 이쯤 들으시면 이런 생각이 들으실 수도 있습니다. '도대체 얼마나 많은 기억을 다뤄야지 내 불편한 감정을 해소할 수 있는거야? 참 막막하네' 이렇게 내가 가지고 있는 트라우마가 많은데, 언제 이 상처를 다 해결할지 막막하게 느껴질 수 있습니다.

그런데 EFT에는 일반화 효과라는 것이 있습니다. 핵심 감정과 관련된 핵심 사건들을 15~20개 정도 해소하면 핵심감정과 이와 관련된 다른 자잘한 사건들도 다 해소가 된다는 것입니다. 그래서 너무 막연하게 느끼실 필요없이 희망을 가지셔도 좋습니다.

3.6 EFT 세션 구조

자 이제 EFT의 전체 과정을 배우기 전에 EFT 세션의 구조를 전체적으로 한 번 살펴보겠습니다.

일반적인 EFT 세션의 구조는 문제 확인 > 해소 작업 > 창조 작업 순으로 이뤄집니다. 즉, 내면의 부정적 생각, 감정, 신념, 이미지 등을 확인하고, 그것을 해소하여 내면을 깨끗하게 정화한 후 긍정적이고 건설적인 삶을 위한 생각, 감정, 신념, 이미지 등을 무의식에 심는 과정을 거칩니다. 우리가 마음속에 품은 것은 현실로 나타난다는 원리를 바탕으로 EFT를 이용해 위와 같은 작업을 해주는 것입니다.

조금 더 자세히 얘기해보면, 문제 확인 과정에서 신체적 증상, 부정적 감정, 부정적 믿음과 같은 문제를 확인합니다. 그리고 각 문제에 고통지수 즉, 수치를 측정 합니다. 그리고 각 문제의 양상을 좀 더 구체적으로 파악합니다.

그 후 두드림으로 대표되는 EFT를 이용한 해소작업에 들어갑니다. 해소 작업은 준비작업 > 연속 두드리기 > 뇌조율 과정 > 연속 두드리기 > 쇄골 호흡 > 증상 재확인 > 잔여 문제 존재 시 추가 작업 등의 순으로 진행됩니다. 이는 정식 버전의 순서이고, 약식 버전으로 진행 시에는 준비 작업, 뇌조율과정, 연속 두드리기의 특정 부위가 생략됩니다.

내가 타깃으로 한 감정 또는 신념이 다 해소되면 이제 창조 작업이 이루어 지는데, 깨끗한 도화지에 내가 바라는 그림을 그려넣는 작업으로 이해하시면 편합니다. 이 작업에는 과거의 트라우마 장

면을 대체할 수 있는 긍정적인 장면과 그 장면에서의 긍정적 감
정을 상상해보고 그 이미지와 감정을 무의식에 새기는 과정입니
다. 부정적인 이미지, 감정, 신념 등이 사라진 상태이기 때문에 새
롭게 내가 바라는 미래의 삶을 사는 장면을 심상화하고 그 때의
감정을 느껴보는 것이 수월하게 가능합니다.

이 과정에서는 바라는 목표를 설정하고 그것과 관련된 긍정적인
심상과 느낌을 자주 느껴 무의식에 새기는 것 그리고 과거 상처
의 의미를 찾고 그것에 감사하는 과정 등이 포함될 수 있습니다.
니다.

3.7 EFT 정식 과정

이제 본격적으로 문제 해소과정에서 사용되는 EFT의 정식 과정 (full version)에 대해 알아보겠습니다. 단축 과정(short version)도 있는데, 이것은 정식 버전에서 몇 가지를 생략하는 과정이라 우선 정식 버전을 배워보겠습니다.

1) 문제 확인 및 고통지수 측정

요약하면 문제, 수치, 위치와 색깔, 구체적 양상 순으로 파악합니다.

(1)문제

문제는 감정, 신념, 신체적 통증이 될 수 있습니다. 감정이라면 긍정적인 감정보다는 우리가 불편함을 느끼는 분노, 슬픔, 외로움, 좌절, 불안, 불쌍한 느낌, 안쓰러운 느낌, 설레는 느낌, 갈망, 보고 싶은 느낌, 매력적인 느낌 등이 될 수 있습니다. 평온함과 무덤덤함이 우리가 목표로 하는 상태라는 것을 인지해주세요. 설레는 느낌, 매력적인 느낌도 두드려서 해결하다보면 무덤덤해집니다. 이런 느낌들도 긍정적이라고 생각해서 그냥 내버려두지 말고 해소해야 합니다.

왜냐하면 불쌍한 느낌, 안쓰러운 느낌은 슬픔이란 감정과 연결되고, 갈망, 보고싶은 느낌, 매력적인 느낌은 갈망, 욕망과 연관되기 때문입니다. 슬픔, 갈망은 평온과 연관된 감정이 아니기 때문에 해소해야 하고 해소 가능합니다.

(2)수치

감정을 파악했으면 그 감정의 수치를 파악합니다. 우리의 목표는 0점입니다. 감정의 수치가 0점이라면 특정 문제 상황, 그 사람의 얼굴, 나를 불편하게 하는 소리, 냄새, 맛, 촉감을 느껴보거나 떠올려 보아도 편안하고 무덤덤한 느낌이 듭니다. 영화를 보는 것처럼 또는 제 3자의 얘기를 듣는 것처럼 무덤덤합니다. 불편한 그 감정을 느껴보려고 일부러 노력해도 느끼기 쉽지 않습니다. 마치 우리가 감정적으로 중립적인 물건 예를 들면, 볼펜을 볼 때 아무 느낌이 없는 것처럼 내가 불편해 하는 감각을 경험해도 무덤덤합니다.

주의할 점은 편안한거 '같다'거나 무덤덤한거 '같다'거나 0점인거 '같다'는 말은 애매하기 때문에 안됩니다. 편안하고, 무덤덤하고, 0점 '이어야' 합니다. 그리고 10점은 견딜 수 없을 정도로 강렬한 느낌을 말합니다.

수치 측정에는 정답이나 객관적인 기준은 없고 그저 내가 느끼기에 몇 점인지 파악하면 됩니다. 점수를 잘 모르겠으면 추측합니다. 0.1점도 허용해서는 안되고 0점이 될때까지 해소작업을 이어갑니다. 그런데 간혹 0.1점 정도 남겨두고 하루 이틀 시간이 지나면 저절로 0점이 되기도 합니다. 그래서 시간이 좀 지난 뒤 이전에 다룬 수치를 다시 확인하는 작업을 해줍니다.

(3)위치와 색깔

감정과 수치를 파악했다면, 이제 이 감정이 우리 신체 어디에서 느껴지고 그 감정의 색깔을 상상한다면 어떨것 같은지 파악합니다. 우리가 감정을 느낄 때 일반적으로 신체 부위의 감각이 동반됩니다. 예를 들면, 화가 나면 머리나, 가슴에서 감각이 느껴집니다. 가장 일반적인 부위는 머리와 가슴 그리고 명치입니다. 색깔의 경우 가장 일반적인 것은 빨강과 검정입니다. 감정이 해소되어 갈수록, 점수가 낮아질수록 색깔이 흰색 또는 투명에 가깝게 느껴지며, 감정이 느껴지는 신체의 위치가 변할 수 있습니다. 이런 변화가 느껴지면, 점수가 그대로이더라도 EFT가 지금 효과가 있구나라고 받아들이시면 됩니다.

(4)구체적 양상

이후에는 감정의 구체적 양상을 파악합니다.
양상을 구체화시킨다는 것은 왜 그런 감정이 드는지, 왜 그렇게 믿어지는지(신념), 그 통증이 어떤 특징을 가지는지 아주 세세하게 파악한다는 것입니다. 이 세세하게 파악하는 과정에서 기억, 감정, 생각, 신체감각을 고려하고 육하원칙과 오감을 참고해서 구체적으로 파악합니다. 왜 그런 감정이 드는지, 왜 그런 생각이 드는지, 그 통증은 어떻게 묘사할 수 있는지, 그 통증과 관련해서 어떤 생각/감정/기억이 드는지에 대한 답을 해보면 됩니다.

예를 들어, 분노가 8점 정도 가슴에서 빨간색으로 느껴지는데, 동생이 장난치다 내가 끓인 라면을 엎은 장면에서 느껴지며, 그 장면에서 어떤게 화가 나냐면, 그 동생의 익살스러운 얼굴 표정이 화가날 수 있고, 다시 끓여야 한다는 생각에 짜증이 날수도 있고, 냄비가 바닥에 떨어질 때 소리 때문에 놀람이 느껴질 수 있습니다. 이런 식으로 어떤 상황에서 불편하다면 그 상황에서 구체적으로 무엇이 나를 불편하게 하는지를 자세하게 파악합니다. 즉, 그때그때 내면에서 느껴지는 불편한 양상을 구체적으로 파악해 작업합니다. 다시 한 번 말하면, 이 양상은, 감정, 생각, 신체감각, 육하원칙 등을 고려해 구체화 할 수 있습니다.

2) 준비작업(수용확언)

-수용확언 의의

준비작업에서 사용되는 수용확언의 기능은 심리적 역전을 바로잡는 것입니다. 심리적 역전이란 사람들이 목표를 달성하거나 문제를 해결하는 데에 스스로를 방해하는 무의식적인 저항을 의미합니다.

이는 무언가를 원하는 것 같지만, 실제로 그걸 이루지 않으려는 마음의 저항으로 인해 생깁니다. 이런 저항은 종종 자기 부정적인 신념이나 과거의 부정적인 경험에서 비롯됩니다.

예를 들어, 어떤 사람이 흡연을 끊고 싶다고 하면서도, 무의식적으로 "나는 성공하지 못할 것이다" 또는 "나는 나쁜 습관을 버릴 자격이 없다"라고 믿는다면, 이 내면의 저항이 변화의 노력을 방해할 수 있습니다. 이게 바로 심리적 역전입니다.

EFT에서 이런 심리적 역전을 해결하는 첫 단계는 세팅 문구를 사용해 이를 인식하고 긍정적으로 전환하는 것입니다. 예를 들어, EFT를 시작할 때 "비록 내가 이 문제를 가지고 있지만, 나는 나 자신을 완전히 이해하고 믿고 받아들이고 사랑합니다", "비록 나는 이 문제를 한편으로는 해결하고 싶지 않지만, 이런 내 마음을 받아들이고 문제를 해결하는 방향으로 나아가는 것을 선택합니다", "비록 나는 그 사람을 용서하고 싶지 않지만, 이런 내 마음을, 이런 내 자신을 온전히 이해하고 받아들입니다" 같은 문구를 반복함으로써, 내면의 저항을 인식하고 긍정적으로 바꾸려는 의도를 설정합니다.

이 과정을 통해 감정적 저항을 풀어주면, 더 효과적으로 EFT를 적용해 보다 수월하게 긍정적인 변화를 끌어낼 수 있게 됩니다.

-수용확언의 형태

수용확언은 '문제 진술 + 자기수용' 형태의 문장입니다. 아래와 같은 예시 문장을 손날을 번갈아 두드리면서 3번 말하면 됩니다. 이때, 손날 대신 가슴압통점을 문지르면서 해줘도 됩니다. 또한 문제는 구체(추상)적으로 진술하면 구체(추상)적으로 치유되기에, 가급적 구체적으로 말해줍니다.

왼쪽 손날을 7번 두드리며 한 문장 말하고, 오른쪽 손날을 7번 두드리며 또 한 문장 말하고 마지막으로 왼쪽 손날을 7번 두드리면서 한 문장을 말합니다. 양 손날을 마주쳐 두드리면서 문장을 세 번 말해도 좋습니다.

"비록 나는 동생이 내가 끓인 라면을 바닥에 쏟아 너무 화가 나지만, 이런 내 자신을 마음속 깊이 완전히 사랑하고 받아들입니다."

"이 자식이 가만히 있을것이지, 왜 이렇게 출싹대다가 냄비를 엎어뜨려가지고 말이야. 배고파 죽겠는데, 이걸 또 언제 다치우고 다시 라면 끓이냐! 아우 열받아! 하지만, 어쨌든 이런 내 감정을 이제는 마음속 깊이 완전히 이해하고 받아들입니다."

"비록 나는 동생이 내가 끓인 라면을 엎어뜨려서 너무나 화나고 이걸 받아들이고 싶지도 않고 용서하고 싶지도 않고 콱 때려주고 싶지만, 이런 내 자신을 마음 속 깊이 완전히 받아들이고 이해하길 선택합니다."
-진심을 실어 말하기

참고로 이렇게 말할 때, 문장의 '마음속 깊이 완전히 받아들이고 사랑합니다' 부분을 진심을 실어서 말할수록 효과가 좋습니다. 아직 진심으로 못 받아들이겠으면 '이렇게 못 받아들이는 내 자신을 받아들이는 쪽으로 가기를 선택합니다'라고 말해줘도 됩니다. 비슷한 말로, '이런 내 자신을/이렇게 느끼는 내 자신을/이런 내 마음을 이해하고 받아들이는 가능성을 열어둘 것을 선택합니다.'도 됩니다.

-괴로움이 발생하는 이유

인간의 괴로움은 우리가 처한 내, 외적 상황에 대해 저항하기 때문에 발생합니다. 우리는 불편한 감정이 발생하면 이를 회피하며 안느끼고 싶어합니다. 그렇게 되면 이 감정이 억압되어 무의식으로 들어가버립니다.

미해결된 감정들을 억압하는데 알게 모르게 심리적인 에너지가 많이 쓰이게 되고, 이 때문에 조금만 스트레스 받아도 그 스트레스에 대응할 에너지가 부족하게 되어, 버럭 화나 짜증이 나고, 어떤 일에 꾸준히 에너지를 투입해 성취해내기 어렵습니다. 그래서 감정을 수용하지 못하고 회피하는 사람들이 어떤 일을 꾸준하게 하지 못하고 중도포기를 많이 하는 것입니다. 또는, 성취한다고 해도 30~40대가 되면 그동안 억누른 스트레스가 심신의 질병으로 발현할 확률이 높습니다.

-수용확언의 의의

어쨌든 수용확언이란 내가 지금 미묘하게 저항하고 있는 현 상황이나 현 상황에 대한 감정을 의식적으로 받아들이겠다고 선언하는 것입니다.

수용확언에서 '이해합니다', '인정합니다', '받아들입니다'라고 할 때, 이해의 의미와 받아들인다의 의미를 짚고 넘어가겠습니다.

감정이 해소되지 않은 분의 입장에서 들으면, 내가 왜 이해해야 해? 받아들여야해? 라며 저항감을 느낄 수 있습니다. 하지만, 이해와 받아들인다의 의미를 제대로 알고나면 저항감 없이 사용할 수 있게 됩니다. 그래서 설명드리는 겁니다.

-'이해합니다/인정합니다/받아들입니다'의 의미

우선 '이해한다'의 의미입니다. 예를 들어볼게요, 친구가 나한테 욕을 하면 화가 나죠. 그죠? 이게 이해가 돼요, 안돼요? 아니, 친구가 나를 때리고 욕하면 대부분 화가 날거 아니에요? 그죠? 이해 돼죠? 그러면 이제 이렇게 말하는거예요. '비록 나는 친구가 나를 때려서 화가 나지만, 이런 내 자신을, 화가 나는 내 마음을 이해합니다.' 이제 이해합니다의 의미가 와닿으 시나요?

다음으로, '인정한다', '받아들인다'의 의미입니다. 자, 그러면 받아들입니다의 의미는 뭘까요? 말 그대로 내가 지금 화가 난다는 사실을 담담하게 인정하고 받아들인는 그런 의미입니다. '비록 나는 친구가 나를 때려서 화가나지만, 이렇게 화가나는 내 자신을, 화가나는 내 마음을 이해하고 받아들입니다.' 자, 이제 '인정한다'와 '받아들인다'의 의미가 이해되시죠?

-수용확언 할 때 내면의 저항이 느껴질 경우

앞에 나온 단어 대신에 '인정합니다/사랑합니다/신뢰합니다/용서합니다/다르게 보겠습니다'를 사용해도 됩니다. 이런 용어를 사용할 때 내면에서 저항이 일어난다면, '~하기를 선택합니다', '~하는 가능성을 1% 열어두기를 선택합니다', '지금 당장은 용서하지/받아들이지는 못하지만 그런 방향으로 가는 것을 선택합니다'는 등의 문장을 사용하기를 권장드립니다. 내가 지금은 이해, 인정, 신뢰, 사랑, 용서하지 못한다는 것을 인정하고 받아들이는 것, 그리고 그런 방향으로 결국에는 가기로 선택하고 마음먹는 태도가 치유로 향하는 문을 열어줍니다.

-수용확언 프리스타일

수용확언을 할 때, 정석대로 위의 방식에 따라 해도 되지만, 프리스타일 방식도 있습니다. 예를 들면 이렇게 합니다.

'나는 어찌어찌해서 이런게 싫고, 어찌어찌해서 이런게 괴롭고, 어찌어찌해서 이런게 짜증나. 하지만 어쨌든 이제는, 이런 나를, 이런 상황을 마음속 깊이 완전히 이해하고 받아들입니다.'

-어린이용 수용확언

아이들이나 초등학교 저학년과 수용확언을 할 때는, 다음과 같이 수용확언을 단순화시켜 줍니다. 아이들에게는 나 자신을 받아들인다 같은 개념이 잘 와닿지 않을 수 있기 때문입니다.
'비록 ~하지만, 나는 착한/용감한/씩씩한 철수입니다.'
'비록 엄마는 나에게 충분한 사랑을 주지 않았지만, 나는 그래도 사랑스러운 착한 아이입니다'

수치 확인은 꼭 점수로 안해줘도 되고, 손이나 팔을 벌려 '이~만큼'하는 식으로 측정해줘도 됩니다. 대체로 아이들은 어른보다 내면이 순수하기 때문에 즉, 고집하는 생각이나 저항이 적어서 EFT의 효과를 잘 보이는 편입니다.

-수용확언 시 팁

첫 번째, '큰 소리로 말한다'입니다.

말하는 이유는 감정이 더 잘 느껴지고 문제에 집중이 더 잘되기 때문입니다. 단, 울고 있는다던지 감정을 충분히 느끼고 있다면 굳이 입 밖으로 꺼내지 않아도 됩니다.

두 번째, '감정을 담아 강조해서 말한다'입니다. 앞에서 말씀드렸듯이, 자기 수용 문구를 말할 때 진심을 담으면 치유 효과에 좋습니다.

세 번째, '준비작업을 3회 이상 반복한다'입니다.

네 번째, 받아들이지 못하는 나 자신도 이해하고 인정하고 받아들입니다.

다섯 번째, 긍정 확언은 3점 이하일 때 또는 0점 이후에 사용합니다. 왜냐하면, 긍정확언은 부정적인 것 먼저 해소하고 해야 효과적이기 때문입니다.

예를 들어, 친구와 싸워서 분노에 휩싸여 있는 아이에게 친구와 잘지내면 좋다는 얘기가 귀에 들어오나요? 아니겠죠? 어느정도 부정적 감정이 해소된 뒤에 긍정확언이 먹힐 수 있습니다.

3) 연속 두드리기

연속 두드리기를 할 때는 크게 17군데(가슴압통점 포함 시 18군데)의 타점을 두드려주면서, 내면의 불편에 집중해줍니다. 이 때, 두드려주면서 내면의 불편함에 더 잘 집중해주기 위해 연상어구라는 것을 (소리내서) 말합니다. 참고로 연상어구는 불편하게 느껴지는 것을 표현하는 문구입니다.

연속 두드리기 시 중요 포인트는 다음과 같습니다.

첫 번째, 타점들을 엄지를 제외한 손가락 4개 또는 '검지와 중지'로 약 7회씩 두드리며, 불편하게 느껴지는 것을 핵심 키워드(=연상어구) 위주로 말해줍니다. 핵심 키워드(연상어구)의 예는 다음과 같습니다. "형이 나를 때렸어", "혼자 있는 고독함", "뒷골의 두통". 핵심 키워드(연상어구)는 구체적으로 설정하는 것이 좋고, 해소하고자 하는 감정과 그 이유에 집중하기 위해서 사용합니다.

두 번째, 핵심 키워드(연상 어구)를 미리 정하지 않고 두드리면서 내면에서 떠오르는 생각, 이미지들을 넋두리하듯 중얼중얼 말하는 것도 괜찮습니다. 그러면서 두드리기, 쉼호흡하기, 감정느끼기를 병행해줍니다. 저는 이것을 넓두리하기라고 부르는데, 연상어구만 말할 때와 같은 효과가 납니다.

세 번째, 왼쪽을 두드리느냐, 오른쪽을 두드리느냐, 두드리는 순서를 어떻게 하느냐, 정확한 타점을 두드려야 하냐 등은 크게 상관없습니다. 즉, 조금 틀려도 같은 효과가 납니다.

네 번째, 두드리는게 불편하다면 문지르거나 손을 각 타점에 대고 쉼 호흡해도 됩니다. 즉, 손을 펴서 정수리에 대고 쉼호흡 크게 한 번하고, 미간에 손을 펴서 대고 쉼호흡 크게 한 번하고 이런 식으로 이어나가면 됩니다. 심지어, 두드린다고 상상을 해도 효과가 납니다.

다섯 번째, 공공장소에서 두드리는 것이 눈치가 보일 수 있습니다. 이럴 때는 손가락 깎지를 끼고 손가락의 각 지점을 자극하기, 손날 문지르기, 눈밑 자연스럽게 만져주기 등을 통해 마음 속으로 EFT를 하기도 합니다. 이렇게 해도 효과가 있습니다.

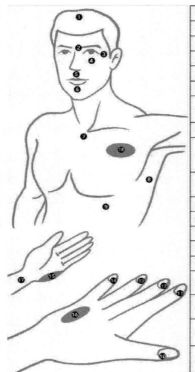

번호	명칭	설명
①	정수리	정수리와 정수리 부근
②	미간	양 눈썹이 시작하는 안쪽 끝
③	눈가	눈가의 바깥쪽
④	눈 밑	눈 아래 2.5cm 부근
⑤	인중	코와 입술 사이
⑥	입술 아래	아랫입술과 턱 사이
⑦	쇄골 밑	동그란 쇄골 뼈 아래
⑧	겨드랑이 아래	유두에서 옆으로 가는 선과 겨드랑이에서 아래로 가는 선이 만나는 지점
⑨	명치 옆	갈비뼈 제일 아래 부근. 유두 아래 2.5cm 부근
⑩	엄지	엄지손톱의 뿌리에서 옴 쪽 부위
⑪	검지	검지손톱의 뿌리에서 엄지 쪽 부위
⑫	중지	중지손톱의 뿌리에서 엄지 쪽 부위
⑬	약지	약지손톱의 뿌리에서 엄지 쪽 부위
⑭	소지	소지손톱의 뿌리에서 엄지 쪽 부위
⑮	손날	태권도에서 송판을 격파할 때 쓰는 부위
⑯	손등	약지와 소지가 만나는 부위에서 1cm 안쪽으로 들어간 부분
⑰	손목안쪽	한의원에서 맥을 짚는 부위
⑱	가슴 압통점	유두 위 가슴 부분인데, 만지면 아픈 부위

4) 뇌조율 과정

뇌조율 과정은 정신과에서 사용되는 트라우마 치유 요법 중 하나인 EMDR이라는 기법을 응용한 것으로써, 괴로운 기억의 감정을 눈의 움직임을 통해 해소하는 치유 기법입니다. EMDR은 (eye movement desensitization and reprocessing)의 준말입니다.

뇌조율 과정은 다루는 각 문제별로 1라운드에서만 실행하고 2라운드에서부터는 생략해줘도 됩니다. 하나의 라운드는 문제 확인에서부터 쇄골 호흡까지를 말합니다. 자, 이제 구체적으로 하는 방법에 대해 말씀드리겠습니다.

기본적으로 고개는 움직이지 않고 안구만 천천히 크게 움직이는 것입니다. 고개를 고정하고 정면을 바라본채로 눈을 감았다 뜹니다. 그리고 오른쪽 아래를 바라보고, 그 다음 왼쪽 아래를 바라봅니다. 그 뒤 시계방향으로 눈동자를 크게 돌립니다. 이때 고개는 가만히 고정시키고 눈동자가 빠뜨리는 방향이 없게 천천히 크게 눈동자를 돌려줍니다. 그 뒤 반시계 방향으로 눈동자를 천천히 크게 돌립니다. 그 뒤 콧노래를 부르는데, 보통 '생일 축하합니다' 노래의 첫 부분을 부릅니다. 노래를 부르는 것이 아니라 콧노래를 하는 것입니다. 물론 다른 노래를 불러도 됩니다. 그 뒤 '일, 이, 삼, 사, 오' 이렇게 빠른 템포로 셉니다(1~2초 내). 그 뒤 다시 한번 콧노래를 부릅니다. 이렇게 하면 뇌조율 과정이 끝난겁니다.

5) 연속 두드리기 반복

6) 쇄골 호흡

쇄골 타점을 두드리며 쉼호흡을 크게 3번 해주는 것입니다. 코로 3초간 숨을 크게 들이쉬고, 입으로 3초간 숨을 크게 내쉽니다.

7) 고통지수 재측정

이렇게 해주고 난 뒤에 다시 문제나 통증에 대해 점수를 측정해 줍니다.

우리의 목적은 0점입니다. 0점이 의미하는 바는 다음과 같습니다.

내가 두려워하는 상황(과거의 상처, 미래의 불편할만한 상황) 또는 이루고 싶은 상황(목표를 달성한 미래의 모습) 등을 떠올렸을 때 조금이라도 찜찜하거나, 불편하거나, 부정적이게 느껴지는 것이 없고 편안한 마음가짐입니다. 만약 불편하게 느껴지는게 있다면 해소해야 합니다. 0.1점도 남아있어서는 안됩니다.

트라우마 기억을 떠올렸을 때, 불쌍해 보이는 감정, 그리운 감정, (이성이나 갖고 싶은 물건이)좋아 보이는 욕망 등의 감정조차 없이 무덤덤하게 느껴져야 합니다. 이런 것이 남아있다면 이것에 대해서 또한 EFT를 해주세요.

그리고 점수를 재측정할 때 중요한 것은, 양상의 변화가 있는지 확인하는 것입니다. 양상은 점수, 이미지, 기억, 생각, 감정, 오감 등에 대해서 나타날 수 있고 양상의 변화를 예를 들면 다음과 같습니다.

아까는 고통 수치가 10점이었는데 지금은 5점으로 줄었다던지, 아까는 아빠가 소리치는 이미지(장면)가 떠올랐는데, 지금은 아빠가 잠잠해져 있다던지, 아까는 친구가 날 괴롭히는 기억이 떠올랐는데, 이제는 형이 나를 괴롭히는 기억이 떠오른다던지, 두드러지게 느껴지는 생각 또는 감정이 변한다던지, 아까는 두통이 있었는데, 지금은 손발이 저린다던지 이런 양상의 변화가 있다면 기민하게 알아채서 이것에 대해 다루어 주어야 합니다.

8) 추가 작업

만약, 7번 고통지수 재측정 단계에서 효과가 있다면 즉, 점수가 내려갔다면, 양상의 변화를 파악하여 그 변화된 양상에 대해 EFT를 계속 해줍니다.

증상의 점수가 3~4점이라면, '여전히'라는 문구를 넣어서 아래와 같이 EFT 합니다.

수용확언 : '나는 비록 여전히 ~한 문제를 갖고 있지만, 이런 나 자신을 온전히 받아들이고 깊이 사랑합니다.'

연상어구 : 여전히 ~한 ~문제.
예) 여전한 이 두통, 여전한 이 죄책감, 여전히 남아있는 이 분노

증상의 점수가 2점 이하라면, '여전히 약간', '아주 약간', '아주 조금'라는 문구를 넣어서 아래와 같이 EFT 합니다.

수용확언 : 나는 비록 여전히 약간 ~한 문제를 갖고 있지만, 이런 나 자신을 완전히 그리고 깊이 용서하고 받아들입니다.'

연상어구 : 여전히 약간/아주 약간/아주 조금 ~ 한 문제.
예)아주 약간 느껴지는 두통, 미세한 니 분노

점수가 2점 이하일 때는 EMDR만으로 점수를 0점으로 변화시킬 수도 있습니다. EFT용 EMDR은 다음과 같이 할 수 있습니다. 눈을 뜬 상태로 잔여 감정을 느끼면서 눈동자를 위아래로 20번, 좌우로 20번 반복하여 움직이는 것입니다. 위아래부터 할지 좌우부터 할지는 중요하지 않습니다. 그러면 문제를 떠올릴 때 느껴지는 감정이 사라지는 것을 경험하실 수 있습니다.

긍정확언 도입도 가급적 점수가 2점 이하일 때 도입하시길 권합니다. 긍정확언 내가 바라는 바를 말한 것입니다.

예를 들어, '나는 직장상사에게 정중하게 할 말은 하는 나를 선택합니다', '나는 사람들 앞에서 자신감 있게 발표하는 나를 선택합니다', '나는 내 능력에 자신감을 가지고 살아가는 모습을 선택합니다.'

긍정확언 관련해서는 뒤에 더 자세하게 설명할 것입니다.

만약 EFT를 해도 효과가 없다면 다음 5가지 경우를 시도해봅니다.

1) 단축 과정을 하지 말고 뇌조율 과정을 포함한 정식 과정을 합니다.

2) 양상을 더 구체적으로 파악합니다. 양상에 변화가 있는지 철저

하게 느껴봅니다.

3) 한 번에 하나의 양상만 다룹니다. 여러 기억, 생각, 감정, 감각이 파악될 수 있지만, 언제나 가장 두드러지게 느껴지는게 무엇인지 집중하고 그것을 해소하는데 집중하세요.

4) 무의식적 저항이 없는지 확인 합니다. 무의식적 저항은 의식상, 겉으로는 낫고싶어 하지만 깊은 속마음 무의식에서는 낫기를 원하지 않는 경우입니다.

5) 그동안 쌓아놓은 감정이 많은 경우라 감정의 해소가 더딜 수 있습니다. 이런 경우는 인내심을 가지고 꾸준하게 두드려야 합니다. 한 번 물꼬가 트이면 그 뒤에는 해소되는 속도가 빨라집니다.

6) 감정 느끼기를 피하고 생각으로 피하는 습관이 있으면 감정이 잘 안느껴질 수 있습니다. 이것을 상담에서는 주지화라는 방어기제를 쓴다고 하는데, 감정적으로 힘든 상황이나 불편한 감정을 논리적이거나 이성적인 사고로 대체하여 감정적 고통을 피하려는 심리적 기제를 의미합니다. 쉽게 말해, 감정을 느끼지 않고 그 상황을 마치 객관적인 문제처럼 분석하는 방식입니다.

예를 들어, 어떤 사람이 큰 사고를 당해서 다리를 다쳤다고 가정해 봅시다. 이 사람은 사고에 대한 두려움이나 불안, 슬픔 같은 감정을 느끼기보다는, "다리 골절의 치유 과정은 평균 몇 주가 걸리고, 뼈가 붙는 과정에서 어떤 의학적 단계가 있는지" 같은 정보를 조사하며 그 상황을 냉정하게 바라보려 합니다. 즉, 감정 대신 지식과 분석을 통해 사고를 처리하는 것이죠.

또 다른 예로, 연인이 이별을 통보했을 때, 이별의 슬픔이나 상처를 느끼기보다는, "이 관계가 왜 끝났는지 분석해 보자. 나의 행동과 상대방의 행동을 객관적으로 평가하면, 결국 이별은 불가피했을 것이다"라고 이성적으로 접근하는 경우도 주지화의 예입니다. 이 사람은 감정을 피하고 이성적 분석에 더 집중하고 있습니다.

이처럼 주지화는 감정을 무시하거나 회피하는 방어기제인데, 때로는 순간적인 고통을 피하는 데 유용할 수 있지만, 장기적으로는 억눌린 감정이 해소되지 않아 심신의 질병으로 발현될 수 있다는 문제점을 가지고 있습니다.

이렇게 주지화의 습관을 가지고 있는 사람은 자신의 마음에 주의를 기울여 내가 지금 어떤 감정을 느끼고 있나, 어떤 생각을 하고 있나를 파악하는 힘을 길러야 합니다. 제 저서, EFT 감정노트가 이것을 돕는 하나의 수단이 될 수 있습니다.

이런 분들은 자기 마음을 들여다보고 글로 써보는 과정을 통해서 감정에 접촉하고 그것을 EFT로 해소하는 과정을 거치면 좋아집니다.

3.8 EFT 단축 과정

약 10명 중 4명 정도만 심리적 역전(치유에 저항하는 무의식적인 저항)이 없다고 합니다. 따라서, 일단 심리적 역전을 해소하는 준비작업을 생략하고 점수가 잘 안내려가는 등 막히는 느낌이 들면 수용확언을 해줄 수 있습니다.

EFT 정식 과정에서 생략하는 것은 준비작업(수용확언), 뇌조율 과정, 겨드랑이 아래~손 부위의 두드리기입니다. 두드려주는 곳은 정수리부터 겨드랑이 아래까지이며, 단축 과정은 아래와 같습니다.

1) 감정 파악 및 수치 측정
2) 정수리부터 겨드랑이 아래까지 연속 두드리기를 이어서 2번 하고 쇄골호흡을 해준 뒤 수치를 재측정합니다.
이렇게 단축 과정으로 EFT를 하다가 뭔가 점수가 잘 안내려가는 것 같으면 정식 과정을 시도합니다. 또는 처음부터 그냥 기본 과정을 해줄 수도 있습니다.

3.9 EFT가 효과적일 때 나타나는 반응

1)자신도 모르게 좋아짐
>>보통 상담받거나 EFT를 하고나서 감정이 해소되니 직접적으로 다루지 않은 증상까지 좋아지는 경우가 이에 해당할 수 있습니다.

2)졸리고 하품

3)한숨, 깊은 쉼호흡

4)나른하고, 멍함. 깊게 많이 잠

5)증상이 즉시 또는 천천히 줄어듦
>>예를 들어, 상담에서 점수를 3점까지 줄이고 끝났는데 다음 상담에서 체크해보면 0점이 되어 있거나 그러는 경우가 여기에 해당할 수 있습니다.

6)좋아졌다는 사실 자체를 잊어버림
>>우리는 불편한 것을 더 잘 알아차리기 때문에, 나중에서야 증상이 사라진 것을 깨달을 때가 있습니다.

7)눈물

8)열

9)트림, 방귀

10)행복감

3.10 핵심 문제

-핵심 문제란?

EFT 감정자유기법에서 말하는 핵심문제는 개인이 겪고 있는 감정적 또는 심리적 문제의 근본 원인이나 핵심 감정을 의미합니다.

예를 들어, 스트레스나 불안 같은 겉으로 드러나는 감정 뒤에는 더 깊이 자리 잡고 있는 두려움, 자존감 문제, 또는 과거의 트라우마 등이 있을 수 있습니다. EFT에서는 표면적인 감정에만 집중하는 게 아니라, 그 감정의 뿌리가 되는 핵심문제를 찾아내어 그 문제를 해결하려고 합니다. 이러한 핵심문제를 해결하지 않으면, 겉으로 드러나는 감정만 잠시 완화될 뿐, 다시 그 문제로 인해 비슷한 감정이나 증상이 재발할 수 있기 때문입니다.

좀 더 구체적인 예를 들어보겠습니다. 겉으로 드러나는 문제가 발표할 때의 불안함일 때, 핵심문제 즉, 발표 불안의 근본 원인은 어린 시절에 사람들 앞에서 창피를 당한 경험일 수 있습니다.

EFT는 특정 감정과 관련된 신체 에너지 시스템의 혼란을 풀어 심리적으로 그 문제를 해결하도록 도와주는 기법이기 때문에, 이러한 핵심문제를 찾아서 해결하는 것이 매우 중요합니다. 이 과정을 통해 표면적인 감정 문제뿐 아니라, 그 근원적인 문제까지 해결할 수 있게 되기 때문입니다.

-핵심 문제와 핵심 사건의 관계

테이블로 예시를 들어보면, 테이블 상판이 있고 그 상판을 받치는 다리들이 있습니다. 테이블 상판은 핵심 문제(핵심 감정이나 신념)이고 다리들은 이것의 형성에 영향을 미친 핵심 사건들 즉, 트라우마적인 사건들이 될 수 있습니다. 테이블 다리를 제거하면 상판이 무너져 내리듯이, 우리 인생의 트라우마 기억들을 중화시키면 즉, 핵심 사건들을 떠올릴 때 느껴지는 모든 부정적인 감정과 신념들을 EFT를 통해 해소하면 핵심 문제가 해소되는 겁니다.

참고로 신념은 부정적 감정의 순간이 반복되면 생긴다고 이해하시면 됩니다. 예를 들어, 고백에 거절당해 좌절감을 반복적으로 느낀 사람은 자신이 이성에게 매력을 주지 못하는 사람이라는 신념을 가지게 될 확률이 높습니다.

-핵심 사건을 해결하는 순서

핵심 감정을 느낀 가장 최초의 순간을 찾아 정화한 후 현재 방향으로 거슬러 올라오면서 핵심 감정을 느낀 또 다른 기억들을 찾아 그 기억과 연합되어 있는 부정적 감정들을 중화시켜주면 됩니다.

젠가라는 게임을 들어보셨을 겁니다. 직육면체 나무 토막을 쌓은 후 아래에 있는 나무 토막을 빼서 위에 올려 쌓는 게임입니다. 이 과정에서 쌓은 토막 더미들이 무너지면 게임이 끝납니다. 이 더미들의 총합이 핵심 감정 또는 신념이고 각각의 나무 토막들은 핵심 사건이라고 볼 수 있습니다. 그렇다면 이 더미 전체를 가장 빨리 무너뜨리는 방법은 뭘까요? 이 더미를 받치는 가장 아래의 토막을 빼는 것입니다.

예를 들어, 어떤 사람이 외로움이라는 핵심 감정을 다룬다고 할 때, 이 사람은 살면서 외로웠던 순간들을 많이 경험했을 것입니다. 외로움이라는 감정의 고리에 여러 사건들이 꿰어져 있는 것이죠. 실제로 상담을 해보면, 40대 때 외로운 사건을 정화해나가다 보면 자연스럽게 외로움과 관련된 과거의 어떤 사건이 떠오르곤 합니다. 그래서 어짜피 과거의 사건을 다뤄줘야 합니다. 또한 세션을 하다보면 40대 때 사건에서 외로움의 점수가 특정 점수 이하로 안내려 가는 경우도 발생하는데, 이럴 때는 더 핵심적인 과거 사건을 다뤄준 후 40대 때의 사건을 다뤄주면 외로움이라는 감정이 깔끔하게 0점으로 해소되는 경우가 많습니다.

따라서, 이러한 임상 경험과 EFT 관련 서적이나 강의를 참고할 때, 심리치유를 할 때는 그 감정과 관련한 가장 최초의 순간을 찾아서 정화시켜나가는 것이 그 감정을 해결하는 가장 효율적인 길이란 것을 알 수 있습니다.

예를 들어, 우리가 태아기 때 사건을 다룬다고 해보면, 태아기 때 사건 하나만 다루었는데, 그 이후에 핵심 감정과 관련된 사건들의 감정적 부하가 많이 감소되고 현재 경험하는 증상들이 사라지는 경우가 비일비재합니다. 핵심 감정을 경험한 최초의 사건 하나만 다루는데도 감정과 연관된 모든 사건이 동시에 해소되는 것입니다. 이것은 EFT의 일반화 효과가 실현될 수 있는 근간이 되는 것처럼 보입니다.

-최초의 순간을 찾아가는 법

핵심 감정을 느낀 최초의 순간을 찾아가는 질문은 '지금 떠올린 장면(기억)에서 느껴지는 핵심 감정이 뭔가 지금 처음 느껴본 것처럼 새로운 느낌인가? 아니면 뭔가 더 어렸을 적 또는 더 과거에도 느껴봤던 것 같이 익숙한 느낌인가?'입니다. 익숙하다고 한다면, 그 핵심 감정에 집중을 유지시키고 정수리나 쇄골 또는 손날을 두드리면서 더 과거의 순간이 떠오르는지 마음을 살핍니다. 떠오르는게 없으면 더 어렸을 적을 '상상'해봅니다. 그래서 상상한 장면에서 느껴지는 불편한 감정이나 신념들을 해소합니다.

EFT를 통해 감정을 해소해나가다 보면 불현듯 과거의 기억이 떠오르기도 합니다. 그러면 가급적 기존에 다루고 있던 기억을 다 다룬 후 새롭게 떠오른 기억을 다루러 갑니다. 하지만, 지금 다루는 감정의 점수가 일정 수치 이하로 잘 떨어지지 않으면 새롭게 떠오른 기억으로 바로 갑니다. 앞에서 한 번 말씀드린 것처럼 후자의 방법을 선택할 때 핵심 감정의 해소에 더 수월한 편입니다. 즉, 더 어릴적 기억을 중화시키면 이후에 핵심 감정을 느꼈던 순간은 자연스레 따라서 같이 해소되는 경우가 많습니다.

상담을 하시거나 혼자서 EFT를 할 때 몇 가지 팁를 말씀드리겠습니다.

첫째, 핵심 감정을 느낀 최초의 순간을 찾아 가는 과정에서 느껴지는 감정들은 해소하지 않은채 일단 파악만 해놓고 최초의 순간을 찾아 갑니다. 또는, 여러 감정들을 모두 파악하지 않고 핵심 감정이 느껴지는지만 확인하여 최초의 순간을 찾아 가기도 합니다.

둘째, 최초의 순간인지 아닌지 불확실 할때는 떠올릴 수 있는 가장 과거의 사건부터 다루어 나갑니다.

셋째, 떠올릴 수 있는 가장 과거의 사건부터 다루었는데도 여전히 감정의 불편함 수치가 0이 안된다면 즉, 핵심 감정의 수치가 일정 점수 밑으로 안 떨어진다면 다음 3가지 중 하나가 그 원인일 경우가 많습니다.

첫째, 구체적으로 양상 파악이 안된 경우입니다. 이럴 땐, 양상을 구체적으로 다시 파악해줍니다.

둘째, 두드리기를 단축 버전이 아닌 정식 버전으로 해줍니다. 즉, 수용확언, 뇌조율 과정, 명치 옆~손목 두드리기를 포함시킵니다.

셋째, 핵심 사건을 다루지 못한 경우입니다. 이럴 땐, 엄마 뱃속에 있을 때나 6살 또는 3살 이전의 아주 어릴 때를 '상상'해보고 핵심 사건을 찾아냅니다. 상상해낸 장면이 팩트인지 아닌지는 중요하지 않습니다. 상상에는 우리의 무의식이 다 묻어나기 때문에 그 묻어난 흔적 즉, 감정과 신념만 다루어 해소하면 되는 것입니다.

-핵심 문제를 찾는데 도움되는 질문들

1)이 문제의 뿌리에 있는 감정, 생각 또는 사람이나 사건은 무엇일까요?
2)이 문제와 관련해서 떠오르는 감정, 생각 또는 사람이나 사건이 있다면 무엇일까요?
3)이 문제와 비슷하게 느꼈던 사건이 있다면 무엇일까요?
또는 이 문제와 관련된 사건 중 떠오르는 것은 무엇인가요?

만약 비슷한 일이 많았다면 가급적 어린 시절의 사건을 찾아내 다루기 시작합니다.

4)이 문제가 처음 시작됐던 때는 언제고, 그때쯤(약 2~3년 전까지) 어떤 힘든 일이 있었나요?
5)만약 다시 산다면 절대 다시 겪고 싶지 않은 사람이나 사건이 있다면 무엇일까요??

아래 질문은 심리적 역전 즉, 무의식적 저항을 찾는데 도움이 됩니다. 무의식적 저항은 핵심 문제에 포함됩니다.

6)이 문제가 있어서 혹시 좋은 점이 있다면 무엇일까요?
7)이 문제가 사라져서 혹시 아쉬운 점이 있다면 무엇일까요?
8)이 문제가 내일 당장 해결된다면 어떨 것 같나요?
9)이 문제가 해결되지 않게 방해하는 것이 있다면 무엇일까요?
10)이 문제가 해결되기 위해 필요한 것은 무엇일까요?

3.11 내적평화과정

-내적평화과정이란?

내적평화과정은 내가 겪은 트라우마 또는 상처를 매일매일 꾸준히 정화하는 과정이라고 생각하시면 됩니다.

평온하고 행복한 삶을 살기위해서는 깊은 내면에 있는 부정적인 핵심 감정과 신념을 해소하면 됩니다. 그리고 이를 위해 핵심 감정과 신념의 형성에 영향을 끼친 트라우마 사건들을 하나씩 해소해나가면 되죠. 트라우마 사건들을 해소해나간다는 것의 의미는 그 트라우마 사건을 떠올렸을 때 느껴지는 불편하거나 찜찜하거나 부정적인 감정이나 신념을 EFT로 해소하는 것입니다.

한 사람당 평균 100~150개 정도 트라우마 기억을 떠올려 낼 수 있다고 합니다. 어떤 기억이 떠오른다는 것은 그 일과 관련된 감정이 내면에 남아있다는 뜻입니다. 하지만, 이 많은 기억을 언제 정화하냐고 낙담할 필요는 없습니다. 핵심 감정과 신념을 해소하기 위해서는 핵심 사건(기억) 15~20개만 해소하면 됩니다. EFT의 일반화 효과라는 것 때문입니다. 핵심적인 기억들을 정화하면 자잘한 것은 같이 정화되는 원리를 말합니다.

그래서 우리는 트라우마 기억들을 떠올려보고 하루에 1~3개씩 정화시켜나가면 됩니다. 이 전체적인 과정을 내적평화과정이라고 합니다.

어떨 때는 몇 주간 사건 하나를 다루기 힘들 때도 있고 어떨 때는 하루에 2~3개도 정화하기 때문에 정해진 기간은 없지만 중요한 것은 꾸준하게 하는 것입니다.

보통은 트라우마 기억들을 가지고 정화해나가는데, 트라우마 기억을 특정하지 못할 때는 자아상, 인간관, 세계관과 관련된 신념을 가지고 EFT를 하기도 합니다.

예를 들면 다음과 같습니다.

자아상(나 자신에 대한 믿음)에 대한 부정적 신념으로는 나는 충분하지 않아, 나는 사랑받을만하지 않아, 나는 못났어, 나는 열등해 등이 있습니다.

인간관(타인에 대한 믿음)에 대한 부정적 신념으로는 사람들은 날 질투해, 날 해치려 해, 이기적이야 등이 있습니다.
세계관(세상에 대한 믿음)에 대한 부정적 신념으로는 이 세상은 약육강식, 적자생존의 쓸쓸하고 외로운 곳이야, 삶은 허무하고 살 가치가 없어 등이 있습니다.

-내적평화과정 양식

다음의 내적평화과정을 진행할 때 참고할 수 있는 양식입니다. 이 양식은 제 또 다른 저서 'EFT 감정노트'에서 참고했습니다.

1단계부터 8단계까지 있는데, 차근차근 각 단계의 안내에 따르면 초보자도 중간에 그만두지 않고 체계적이고 쉽게 감정과 신념을 해소해나갈 수 있습니다.

나중에 여덟 단계가 익숙해지면 1~5단계, 7단계, 8단계를 건너뛰고 바로 6단계를 진행하면서 1~5단계, 7~8단계를 통합해서 적용해나갈 수 있습니다. 하지만, 이 과정이 익숙하지 않다면, 각 단계의 요소들을 하나하나 마음을 살펴보며 파악하고 천천히 6단계에 적용 시키길 권장드립니다.

1단계 사건 : 하루 일과 중에서 가장 기억에 남는 사건, 마음속에서 해결하고 싶은 힘든 과거의 일 또는 현재 가진 고민에 대해서 써보세요. 사건에 대해서 가급적이면 객관적인 제 3자의 시선에서 육하원칙(누가, 언제, 어디서, 무엇을, 어떻게, 왜)에 따라 구체적으로 파악하는 것이 좋습니다.

-전날 바람 피운 남친과 싸웠는데, 그 다음 날 친구가 장난으로 밀어서 발목을 삐끗함
-발목을 움직일 때 아픔

2단계 감정 : 그 사건/주제를 떠올리면 어떤 기분, 느낌이 드나요? 또는 그 당시 어떤 감정이 느껴졌나요? 아래 감정 목록을 참고해보세요. 긍정적 단어, 부정적 단어 모두 나와있지만, EFT의 대상이 되는 것은 부정적 단어입니다.

-친구에 대한 짜증
-바람핀 남친에 대한 분노
-꼬인 내 인생에 대한 좌절감

[부정적 단어]　　　　　　　　출처 : 감정의 발견(마크 브래킷)

격분한	공황에 빠진	스트레스 받는	초조한	충격받은
격노한	몹시 화난	좌절스러운	신경이　날카로운	망연자실한
화가 치미는	겁먹은	화난	불안한	안절부절못하는
불안한	우려하는	근심하는	짜증나는	거슬리는
불쾌한	골치 아픈	염려하는	마음이　불편한	언짢은
역겨운	침울한	실망스러운	의욕 없는	냉담한
비관적인	시무룩한	낙담한	슬픈	지루한
소외된	비참한	쓸쓸한	기죽은	피곤한
의기소침한	우울한	뚱한	기진맥진한	지친
절망한	가망 없는	고독한	소모된	진이 빠지는

3단계 신체 반응 : 이런 감정을 알아차리니 몸에서 혹시 느껴지는 것이 있는지 살펴봅니다. 예를 들면, 가슴이 답답하다, 명치가 꽉 막힌것 같다, 두통이 느껴진다, 손발이 차가워지거나 마비되는 것 같다 등이 될 수 있습니다.

-가슴이 답답하고 두통이 느껴져

4단계 생각 : 왜 그런 감정이 들었는지, 그런 감정과 관련하여 어떤 생각이 떠올랐는지, 그 사건/주제를 떠올리면 어떤 생각이 드는지 또는 그 당시 어떤 생각이 들었는지 파악합니다. 만약 특정 트라우마 기억이 아닌 내가 가진 일반적인 신념을 가지고 내적평화과정을 시작한다면, 아래의 질문에 답해보면 됩니다.

1)자아상 : 나 자신에 대해서 어떤 생각(믿음)이 드나요?
2)미래상 : 내 미래는 어떻게 될 것 같나요?
3)인간관 : 사람들과 관련해서 어떤 생각(믿음)이 드나요?
4)세계관 및 기타 신념 : 세상에 대해서 또는 기타 무엇도 좋으니 생각(믿음)이 드나요?

-자아상 : 난 왜 이렇게 되는게 없을까, 내 인생은 실패작이야
-남친을 용서할 수 없어
-인간관 : 남자들은 하여튼 다 똑같아
-세계관 및 기타 신념 : 하나님은 왜 이렇게 날 안도와주시는거야

5단계 욕구 : 그런 감정 뒤에 숨겨진 욕구는 무엇이었는지, 나에게 충족되지 않은 욕구가 있다면 무엇일지 생각해봅니다. 우리는 일반적으로 우리의 욕구가 충족될 때 긍정적인 감정을 느끼고 충족되지 않으면 부정적인 감정을 느낍니다. 감정 뒤에 숨겨진 욕구나 신념이 무엇인지 생각해보세요. 아래 욕구 목록을 참고하실 수 있습니다.

-몸이 안아프고 싶어
-남친한테 사랑받고 싶어
-친구가 진심으로 사과해줬으면 좋겠어

*'5단계 욕구' 참고 목록 : 욕구의 종류(감정의 원인이자 삶의 동력)

1)생존의 욕구(신체, 정서, 안전) : 공기, 음식, 물, 주거, 휴식, 수면, 신체적 접촉(스킨십), 성적 표현, 신체적 안전, 정서적 안정, 경제적 안정, 편안함, 애착 형성, 자유로운 움직임, 운동, 건강, 웰빙, 돌봄 받음, 보호 받음

2)사회적 욕구(소속감, 협력, 사랑) : 친밀한 관계, 유대, 소통, 연결, 배려, 존중, 상호성, 공감, 이해, 수용, 지지, 협력, 도움, 감사, 애정, 관심, 우정, 가까움, 나눔, 연민, 소속감, 공동체, 상호의존, 안도, 안심, 위로, 위안, 신뢰, 확신, 예측 가능성, 일관성, 참여, 성실성, 책무, 책임, 평화, 여유, 아름다움, 가르침, 성취, 공유, 유연성, 상대 돌봄, 상대 보호

3)힘의 욕구(성취, 인정, 자존) : 평등, 질서, 조화, 자신감, 자기표현, 자기 신뢰, 중요하게 여겨짐, 유능감, 능력, 존재감, 공정, 공평, 진정성, 투명성, 정직, 진실, 인정, 일치, 개성, 숙달, 전문성, 자기 존중, 정의, 보람
4)자유의 욕구(독립, 자율성, 선택) : 생산, 성장, 창조성, 치유, 선택, 승인, 자유, 주관을 가짐(자신만의 견해나 사상), 자율성, 독립, 혼자만의 시간

5)재미의 욕구(놀이, 배움) : 재미, 놀이, 자각, 도전, 깨달음, 명료함, 배움, 자극, 발견

6)삶의 의미의 욕구(영성, 인생 예찬) : 의미, 인생 예찬(축하, 애도), 사랑, 비전, 꿈, 희망, 영적 교감, 영성, 영감, 존엄성, 기여

　＊ 출처: William Glasser, Reality Therapy 5 Basic Needs / Marshall B.Rosenberg, Nonviolent CommunicationNeeds list

6단계 EFT(감정자유기법) : EFT를 파악된 부정적 감정과 생각에 적용하는 단계입니다. 적으면서 하세요. 예를 들면, 분노 7점 가슴(에서 느껴짐), 빨강(색으로 느껴짐), '비록 나는 친구가 나를 욕하고 때려서 화가 나지만, 이런 나 자신을 마음속 깊이 완전히 받아들이고 사랑합니다' 이런식으로 적으면서 하라는 얘기입니다.

'EFT 하는 법'을 먼저 익히고 나서 아래 예시들을 참고하시기 바랍니다.

아래 예시는 실제 상담 사례를, 사생활 보호를 위해 민감 정보만 변형하여 공유한 것입니다.

사건의 내용은 명확히 이해되지 않으실 수 있으나 그것보다는 EFT를 하는 전체 흐름에 초점을 맞추어 읽고 익히시기 바랍니다.

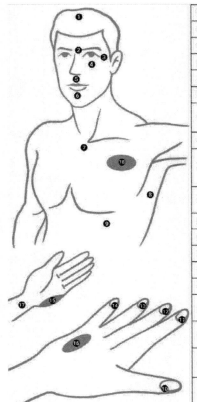

번호	명칭	설명
①	정수리	정수리와 정수리 부근
②	미간	양 눈썹이 시작하는 안쪽 끝
③	눈가	눈가의 바깥쪽
④	눈 밑	눈 아래 2.5cm 부근
⑤	인중	코와 입술 사이
⑥	입술 아래	아랫입술과 턱 사이
⑦	쇄골 밑	둥그란 쇄골 뼈 아래
⑧	겨드랑이 아래	유두에서 옆으로 가는 선과 겨드랑이에서 아래로 가는 선이 만나는 지점
⑨	명치 옆	갈비뼈 제일 아래 부근. 유두 아래 2.5cm 부근
⑩	엄지	엄지손톱의 뿌리에서 몸 쪽 부위
⑪	검지	검지손톱의 뿌리에서 엄지 쪽 부위
⑫	중지	중지손톱의 뿌리에서 엄지 쪽 부위
⑬	약지	약지손톱의 뿌리에서 엄지 쪽 부위
⑭	소지	소지손톱의 뿌리에서 엄지 쪽 부위
⑮	손날	태권도에서 송판을 격파할 때 쓰는 부위
⑯	손등	약지와 소지가 만나는 부위에서 1cm 안쪽으로 들어간 부분
⑰	손목안쪽	한의원에서 맥을 짚는 부위
⑱	가슴 압통점	유두 위 가슴 부분인데, 만지면 아픈 부위

***EFT 감정노트에 따라 내담자들이 실제로 작성한 예시 1
: 보험사고(영화관 기법 미적용)**

[1단계 사건]
n년 n월 n일 n요일 오후 n시, 근무 중에 자동차 보험사로부터 전화가 왔습니다. 사고가 발생한 지 약 세 달쯤 지나면서 사건이 모두 처리된 줄 알았는데, 상대방이 차량 수리를 요청하며 견적이 약 n만 원이라고 했습니다. 처음에는 상황이 마무리 되었다고 알리려는 전화라고 생각했지만, 전화를 끊고 다시 생각해 보니, 상대방의 차는 사고 당시 수리가 필요해 보이지 않았음에도 불구하고 너무 많은 비용이 청구된 것이 이상했습니다. 다시 보험사에 전화를 걸어 확인한 결과, 상대방이 보험사에 보낸 사고 차량의 사진은 사고와 상관없는 유사한 차량을 같은 사고 장소에서 촬영한 것이었고, 수리업체에서 견적을 받아 보험사에 청구한 것으로 밝혀졌습니다. 이를 "자동차 미수선 처리"라고 하지만, 제 경우에는 "사기"에 해당했습니다.

[2단계 감정]
상대방에 대한 괘씸함과 분노를 느꼈습니다.

[3단계 신체의 반응]
손이 떨렸고 마음을 가라앉힐 수 없었습니다.

[4단계 생각]
접촉 사고 이후, 상대방과의 소통이 안 되었고, 본인을 뺑소니로 신고 접수, 상대방이 근처 술집의 도우미라는 사실, 그리고 법의 허점을 잘 알고 일부러 본인을 괴롭히려고 했던 행동들 때문에 불쾌한 감정이 들었습니다. 세 달이 지나 점차 잊어가던 중 말도

안 되는 보험사 전화로 인해 이전 생각들이 다시 떠올랐고, 분노가 치밀었습니다. 이미 상식적으로 이해되지 않는 상황에서 n만원의 합의금을 신청해서 보험사에서 처리가 되었고, 이번에는 약 n만 원을 허위 수리비용으로 청구한 것이 너무나 화가났습니다.

자아상: 사고 당일 흥분하지 않고 좀 더 침착하게 대처했더라면 이런 말도 안 되는 사기꾼에게 당하지 않았을 텐데, 순간적으로 흥분해서 이성적으로 처리하지 못한 것에 대해 스스로 답답함을 느꼈습니다.

인간관: 상대방의 직업을 비난할 건 아니지만, 저 스스로 무시하는 마음이 들었습니다. 단순히 술집 도우미의 꼬임에 넘어가는 제 모습이 너무 한심해 보였습니다. 경찰관에게 느끼는 감정은 사건보고서와 블랙박스 영상을 함께 봤지만, 가해자로 접수된 본인에게 뻔히 상황을 알고도 제 편을 들어 주지 않는 경찰관의 모습도 답답하게 느껴졌습니다.

세계관: 세상이 무섭게 느껴졌습니다. 옳고 그름을 판단하기 어렵고, 악한 기운이 넘쳐흐르는 듯하며, 선한 기운은 느껴지지 않았습니다.

[5단계 욕구]
처음에는 복수를 하고 싶었습니다. 당한 만큼 돌려주고 싶은 욕망이 생겼습니다. 하지만 이성적으로는 그럴 수 없다는 것을 알고 있습니다.

[6단계 EFT]

*초보자분들께는 1~5단계를 차근차근 밟아나가시라고 말씀드리고 약 한 달정도 작성하신 뒤 익숙해지면, 바로 6단계로 들어가서 EFT를 하면서 1~5단계를 동시파악(진행)할 수도 있습니다.

- 증상확인 및 측정: 상황 파악 및 고통지수 측정
- 분노: 10점, 가슴, 빨간색
- 괘씸함: 10점, 가슴, 빨간색

*감정을 모두 파악하고 점수를 매깁니다. 지금은 일단 신체 부위와, 색깔은 파악할 필요 없습니다.

그 뒤 가장 두드러지는 감정 하나를 잡아서 느껴지는 신체 위치, 색깔을 파악한 뒤 EFT를 해나가 0점을 만듭니다. 그 뒤 다시 전체 감정의 점수를 확인합니다. 잔여 감정 중 또 가장 두드러진 감정의 점수, 신체 부위와 색깔을 파악한 후 해소해나갑니다. 결국 이렇게 해서 처음에 파악한 모든 감정이 다 0점이 될때까지 EFT를 실행해줍니다.

- 비록 나는, 피해자의 어처구니 없는 행동에 너무나 화가 나지만 이런 내 자신을 마음속 깊이
 이해하고 받아들입니다.
- 비록 나는, 피해자가 내게 사기를 치는 모습이 너무나 화가 나지만 이런 내 자신을 마음속 깊이 이해하고 받아들입니다.
- 비록 나는, 피해자가 나를 호구로 보는 모습이 너무나 화가 나지만 이런 내 자신을 마음속 깊이 이해하고 받아들입니다.
- 반복 두번
- 쇄골 두드리면서 심호흡 깊이 세번

- 고통지수 재 측정
분노: 0점, 가슴, 흰색
괘씸함: 0점, 가슴, 흰색

[7단계 알아주기]
xx아(본인의 이름), 세상이 내 뜻대로 되지 않고, 공정하지 않으며, 복수하고 싶은 마음이 들었음에도 불구하고, 그럴 수 없다는 것을 이성적으로 잘 생각하고, 차분한 마음을 가지려는 태도는 참 잘했다.

[8단계 확언 & 행동]
앞으로 비슷한 일이 또 생긴다면, 내가 잘못한 일이든 아니든, 흥분하지 말고 상대방에게 먼저 다가가 "다치진 않으셨나요?"라고 먼저 물어보자. "한마디 말로 천 냥 빚을 갚을 수 있다는 말"을 되새겨 보자.

*EFT 감정노트에 따라 내담자들이 실제로 작성한 예시 2
: 단톡방 관련 트라우마(영화관 기법 적용)

해소할 사건 정했으면 그 사건을 단편영화로 만든다고 상상해보고 제목을 붙여 봅니다. 그 후 첫 장면과 끝 장면을 정합니다. 어떤 인물과 관련된 여러 트라우마 사건이 있더라도 사건들을 하나하나씩 다룹니다.
단편 영화 제목 : 단톡방
첫 장면 : 내가 먼저 얘들에게 개별적으로 연락하는 장면
끝 장면 : 결국엔 내가 단톡방 마무리짓지 못하고 나가는 장면

첫장면부터 꼼꼼히 다시 떠올려보고 불편한 감정이 느껴지는 부분이 있다면 일시정지하고 EFT 작업합니다. 해소했다면 일시정지했던 장면을 재생시키고 떠올려봅니다. 이렇게 모든 장면을 해소해서 무덤덤하게 느껴지면 그 사건은 정화가 끝난 것입니다.

-A가 삼자대면하자고 불러들이는 장면에서 불편한 감정이 들어 일시정지 함.

당혹스러움 10점 (당혹스러움이 정수리에서 느껴지고/보라색으로 느껴짐) 어떤 점이 당혹스럽나? > 눈을 감은채 손날 두드리면서 구체적으로 파악하기(말로 표현하면서)

>수용확언 : 비록 나는 남자친구랑 관계없는 B, C에게 삼자대면을 요구하고 내 의사랑 상관없이 불려 들여간 부분이 당혹스러웠지만, 이런 나를 마음속깊이 완전히 이해하고 받아들이고 사랑합니다.
손날 바꿔 수용확언 1~2회 더 반복.

수용확언 후에

>정수리부터 손목안쪽까지 2set 두드리기 : 눈을 감은채 불편한 장면 떠올리면서 당혹스러움 느끼기 + 쉼호흡 깊이 쉬기
>쇄골 호흡 3번 : 쇄골 두드리면서 심호흡 3번

>점수 재확인 : 당혹 6(관자놀이/검정색) A가 남자친구를 팔았다는 느낌이 들었어. 남자친구를 들먹거리며 B, C를 끌어들여서 당혹스러워> 수용확언 2~3번 후에 다시 타점 두드리기 2번 반복 후 쇄골 두드리며 쉼호흡 크게 3번

>그 장면 떠올리면서 감정 점수 재확인. 당혹 3(주로 왼쪽귀/노랑). 손날 두드리며 어떤게 여전히 당혹스러운지 아주 구체적으로 파악 후 수용확언 2~3번 실시.

>수용 확언 : 비록 나는 직접 만나서 하는게 아니라 카톡으로 3자 대면하자는게 당혹스러웠지만, 이런 나를 마음속 깊이 이해하고 받아들입니다.

>타점 두드리기 2번 반복(그 장면 떠올리면서 당혹스러움을 있는 힘껏 끌어올려 느껴보기 + 쉼호흡 병행) 후 쇄골 두드리며 쉼호흡 크게 3번(3초 들이쉬고 3초 내쉬기).

>감정 점수 재확인 : 당혹스러움 0(안느껴지는 거 같아요(x) vs 안느껴져요(o)) 안느껴져야 합니다. 찜찜하거나 불편한 감정이 0.1점 이라도 남아있으면 안됩니다. 0점이라고 할 수 있어야 합니다. 완전히 무덤덤하거나 마치 다른 사람 얘기 듣는것처럼 또는 영화관에서 영화보는 것처럼 무덤덤, 고요, 평화롭게 느껴진다면

또는 그냥 감정은 안느껴지고 기억만 난다면 0점이 된 것입니다.

0점인지 애매하면 눈을 감고 그 장면을 떠올리면서 일부러 당혹스러움을 느껴보려고 해보세요. 만약 진짜 0점이라면 불편한 감정을 느껴보려고 해도 안느껴질 것입니다.

다른 사건 때문에 불편한 감정 느껴질 수 있습니다. 하지만, 이 사건에 한정해서 불편한 감정을 느껴야 합니다.
>불편한 감정이 느껴져서 일시정지 한 장면을 완전히 정화시켰다면, 다시 멈춘 장면에서 이어서 끝 장면까지 불편한 감정 느껴지는 곳 있나 꼼꼼히 느껴봅니다.

끝 장면 가기 전에 또 불편한 감정이 느껴지면 방금 전처럼 일시정지하고 해당 장면에서 느껴지는 불편한 감정이 0이 될 때까지 해소 후 끝 장면까지 다 정화시킵니다.

>끝 장면에서 한마디도 못하고 나온게 화남 8(양쪽 눈/붉은색)
>수용확언 2번 (이런 나를 아직 못 받아들이겠으면 또는 받아들이기 어렵다면, '받아들이길 선택합니다' 또는 '받아들이는 쪽으로 가기를 선택합니다'라고 표현하기)
>타점 두드리기 2번 반복(그 장면 떠올리면서+분노 오롯이 느끼면서+쉼호흡)>쇄골호흡(크게 3번)

>점수 재확인 분노 (점수가 긴가민가 할 때는 화를 내려고 해보기) 0. 분노는 0점이나 양상이 바뀌어 이제 아쉬움이 떠오름.

>아쉬움 7점(목/파랑) 뭐가 아쉽나? 뭐라고 말했으면 좋았을지 구체적으로 파악하기

>수용확언 '비록 나는 그때 당시에 바로 나오지 않고 '아 말도 안 되는 소리 하지 말라고', '말 같지도 않은 소리로 사람 몰아가지 말라고' 얘기 했어어야 한다는 아쉬움이 남지만, 이런 나를 마음 속 깊이 완전히 이해하고 받아들입니다.'

>타점 두드리기 2번 : 그 장면 떠올리면서 아쉬움 생생하게 느끼면서 두드리기+쉼호흡 하면서

>쇄골호흡 3번(3초 들이쉬고 3초 내쉬기)

>아쉬움 점수 재확인 : 장면 떠올리면서 아쉬운 감정 몇 점 정도 느껴지나 느껴보기. 0. 새로운 사건이 떠오름. 일단 새롭게 떠오른 사건은 옆에 잠시 적어두고 일단 이 사건부터 먼저 다 다뤄보기. 점수가 아무리 해도 안내려가면 그 때 떠오른 사건을 다뤄본다. 그래서 일단 지금 다루고 있는 사건의 끝 장면까지 다 정화함.

>다시 첫 장면부터 끝 장면까지 불편한 감정이 느껴지나 재확인 : 웃음이 나온다. 아무렇지 않게 느껴져요. 내 얘기가 아닌거 같고, 무덤덤하고, 평온하게 느껴짐. 그런 사실이 있었다는 건 기억나지만 대수롭지 않게 느껴짐.

>해당 사건 속 인물(A, B, C)에 대한 감정 확인. 사건에 대한 불편한 감정을 정화한 후에는 사건과 관련된 인물에 대한 감정을 확인 후 정화합니다. (그리고 인물에 대한 감정을 다 정화한 후에는 나 자신에 대한 감정을 정화합니다)

A : 불편한 감정은 0. 대신 생각으로는 굳이 다시 친해지지 않아도 되겠다는 판단이 듦. B : 0. C : 0.

*EFT 감정노트에 따라 내담자들이 실제로 작성한 예시 3

: 전남친 관련 트라우마(영화관 기법 적용)

전 남친과 관련되어 여러 안좋은 기억이 있겠지만, 여러 사건 중에서 가장 먼저 해소하고 싶은 사건 또는 기억 하나를 정합니다. (가장 기억에 남는, 가장 충격적인 사건 또는 가장 감정이 올라오는 사건을 정하면 됩니다.)
사건 정했으면 그 사건을 단편영화로 만든다고 상상해보고 제목을 붙여 봅니다. 그 후 첫 장면과 끝 장면을 정합니다. 어떤 인물과 관련된 여러 트라우마 사건이 있더라도 사건을 하나 하나씩 다룹니다.

1) 단편 영화 제목 : 궁핍

첫 장면과 끝 장면을 파악하려고 했으나 내담자가 너무 장황하게 첫 장면에 대해서 설명하였습니다. 즉, 단편적인 기억을 정해서 다뤄야 하는데, 특정 장면을 고르지 못하고 장편 영화를 고른 것입니다.

이 경우에는 두 가지 방법이 있습니다. 장편 영화를 단편 영화로 즉, 단편적인 불편한 기억들로 쪼개서 그 단편 기억들을 '하나씩' 정화시켜나가는 방법, 또 다른 방법은 내 마음속에 이 사람에 대해서 남아있는 감정을 파악해서 해소해나가는 접근법입니다.

즉, 전자는 사건 중심 접근 법, 후자는 인물 중심 접근법입니다.

아래는 후자의 방법(인물 중심 접근법)을 이용했습니다. 인물 중심으로 접근하더라도 결국엔 사건을 다루게 됩니다. 아래 예시를 보겠습니다.

전 남친을 생각했을 때 느껴지는 감정을 파악 후(답답함/한심함/짜증/후회) 가장 두드러지는 감정 하나 고르기 > 답답함

답답함 10> 왜 답답한지 물으니 한심함을 주제로 이야기가 나옴. EFT 1회 후 8점. 답답함은 증상인 것 같아 이후로는 원인인 한심함만 측정하여 다룸.

>한심함이 1점 남았을 때 다시 답답함을 측정 했는데 4점이 느껴졌다.

*한심함이라는 감정 다룬 예시

10점(눈/회색) : 비록 나는 이 사람이 집안일도 안하고 돈도 안벌고 맨날 바닥에서 자고 있고 술 마시고 배달음식 시켜먹고 여기저기 놀러 다니면서 사는게 너무나도 한심하지만, 이런 나를 마음속 깊이 완전히 이해하고 받아들입니다.
(받아들이고 사랑합니다/이해하고 용서합니다/용서하고 받아들입니다/용서하고 사랑합니다)

(내담자에게 이해합니다, 인정합니다의 의미 안내)

-이해합니다의 뜻 : 이런 상황 속에서 내가 이런 불편한 감정을 느낀다는 것이 이해되시죠? 이것이 바로 이해합니다의 의미입니다.

-인정합니다(받아들입니다)의 뜻 : 이런 상황 속에서 내가 이런 불편한 감정을 느끼고 있다는 것을 인정하실(받아들이실) 수 있나요? 이것이 바로 인정하고 받아들인다의 뜻입니다.

>한심했던 전남친의 모습 떠올리면서+한심한 느낌 느끼면서+ 타점 두드리기 2번 반복 후 쇄골호흡 3번.

>한심함 재측정 7(미간/노란) 여전히 뭐가 또는 뭐 때문에 한심하게 느껴지나요? (구체적으로 양상 파악하기. 파악 후 수용확언)

수용 확언 2~3번 : (손날 번갈아 두드리면서) 비록 나는 일도 안하고 집에서 저렇게 빈둥대면서 돈 이라는건 있다가도 없다고 돈에 연연하지 않는다고 말하는 저 사람이 너무나 한심하지만, 이런 나를 마음속 깊이 완전히 ~.

>타점 두드리기 단축 버전 : 정수리~옆구리 두 번 반복 후 쇄골 호흡 3번

>한심함 점수 재측정(그 남자 얼굴 떠올려 봤을 때) 7(손가락/노란)

>**양상이 바뀌었다! 점수는 그대로지만, 느껴지는 신체부위는 바뀌었다. 이 말인즉, 뭔가 내면에서 해소가 일어나고 있다는 얘기입니다.**

>어떤게 여전히 한심하게 느껴지는지 양상 확인. 확인 결과 양상이 변화했습니다.

>수용확언 2~3회 : (손날 두드리면서) 비록 나는 아무것도 안하면서 결혼을 한다면 집안일하는 본인한테 내 월급을 절반을 바쳐야 한다는 그 얘의 말이 너무나 한심하게 느껴지지만, 이런 나를 마음속 깊이 완전히 받아들입니다.

>타점 두드리기 2회 정식버전(정수리~손목안쪽)으로+쇄골호흡 3회
: 그 얘의 모습을 떠올리면서 또는 걔가 말한 거 그대로 따라하면서(이렇게 하면 감정이 더 잘 느껴지기 때문. '너 월급 절반 나한테 줘야돼!' 이렇게 말하면서 두드립니다) 한심함을 느낍니다.

>한심함 재측정 7(손끝/하늘) 점수는 그대로지만 이번엔 색깔이 바뀜=양상의 변화. 양상을 구체적으로 파악합니다.

>수용확언 2~3회 : (손날 번갈아 두드리며) 비록 나는 본인(전남친)이 자기가 한 말에 대해서 이래서 못했고 저래서 못했다고 변명하는 모습이 한심하게 느껴지지만, 이런 나를 마음속 깊이 받아들입니다.

>상담사가 끼어듦. "이래서 저래서 부분을 좀 더 구체적으로 묘사해주세요"

>비록 나는 전 남친이 아파서 청소 못했다, 늦잠자서 청소 못했다, 누가 연락와서 청소 못했다, 누가 찾아와서 청소 못했다, 깜빡해서 청소 못했다고 하는게 너무나 한심하게 느껴지지만, 이런 나를 마음속 깊이 받아들이고 사랑합니다.

>타점 두드리기(단축버전) 2회+ 쇄골호흡 3회

:남친이 변명하는 장면 떠올리면서 감정 느끼면서 두드리기. 말로 소리내어 표현해주면 감정을 느끼기 더 수월함.

>한심함 재측정 : 2(발앞꿈치/노란색) > 7점에서 2점으로 급감소!
>다시 양상 구체적으로 파악 후 수용확언 2~3회

비록 나는 그 친구가 내가 한 청소에 대해서, 출근할 때 자기가 챙겨가라고 한 거 안챙겼을 때, 본인이 아플 때, 명절에서 집에 한 번 갔다가 좀 더 지내고 오겠다고 할 때 고양이들에 대한 책임감 없다고 할 때 등 꼬투리를 잡을 때 한심하게 느껴지지만, 이런 나를 마음속 깊이 받아들이고 사랑합니다.

>타점 두드리기 2회+쇄골호흡 3회
: 꼬투리 잡았던 때를 머릿속에 번갈아 떠올리면서 한심한 느끼면서 두드리기
>한심함 재측정 : 1(어깨/회색)

구체적 양상 파악 : 서로 헤어지고 같이 지내는 동안에, 그 친구는 일을 안해서 당장 내쫓지는 못했는데, 그 동안에 온갖 사람들이랑 연락을 하면서 지내놓고 내가 새 남자친구가 생겼을 때 바람폈다고 말하는게 너무 어이없고 한심하지만, 이런 나를 마음속 깊이 이해하고 받아들입니다.

>한심함 재측정 : 0, 그 사람을 떠올려도 무덤덤함. 그런 일이 벌어졌었다는 기억만 있고 괴롭지는 않음.

답답함, 짜증, 후회 모두 0점이 되었습니다. 이제 이 사람을 떠올려도 무덤덤하고 평온해졌습니다.

7단계 알아주기 : 7단계는 6단계를 하는 과정에서 동반되어야 할 마음가짐 또는 6단계와 동반되어 같이 섞어서 해줄 수 있는 과정 이라고 이해하시면 됩니다. 6단계와 7단계가 완전히 분리된 단계 가 아닙니다. 7단계의 문장들을 얘기해주고 과거의 나를 두드려 준다고 상상하면서 동시에 내 몸을 두드리세요.

알아주기의 핵심은 트라우마 기억 속의 나를 판단/비난없이 충분 히 알아차리고 허용하고 느껴주면서 이해와 연민의 마음으로 위 로하고 격려하고 지지해주는 것, 그런 감정을 느낀 과거의 나를 있는 그대로 받아들이고 사랑하는 것입니다. 과거의 나의 이름을 불러주고 그 내가 어떠한 감정을 느꼈던 간에 차별없이 온전히 받아들여주세요. 그리고 그 '내'가 듣기를 바랬던 말과 행동이 무 엇일지 추측해보고 그것을 과거의 나에게 해주는 상상을 해보세 요. 이것을 말로 소리내어 표현해도 되고 안해도 됩니다. 다만, 이 런 마음가짐을 가지면서 계속 두드려줍니다.

-민지야 친구가 장난으로 널 밀어서 발목을 다쳤구나, 정말 화가 나고 또 아팠겠다. 지금도 다 낫지 않아서 괴롭지? 그래도 이렇 게 견뎌내고 있는 네 모습이 정말 대견해. 남친은 바람을 폈는데, 적반하장이라고 그렇게 뻔뻔하게 나오는 모습에 기가 찼을거야. 그래도 어떻게 보면 그런 아이가 결혼하기 전에 이렇게 바람기 있는 모습을 보여주니, 오히려 다행인지도 모르겠다. 결혼하고 나 서 바람 피웠으면 어떡할 뻔했어. 너도 아프지 않고 남자친구한테 온전히 사랑받고 싶고 그러지? 또 너를 민 친구가 진심으로 사과 해줬으면 좋겠지? 너의 그런 마음은 너무 자연스럽고 당연한거 야. 내가 네 옆에서 항상 같이 있을께. 너가 화날 때나 기쁠때나 언제나 항상 같이 있으면서 네 편이 되어줄게. 사랑해.

8단계 확언, 심상화, 행동 : 긍정 확언과 심상화는 부정적 감정과 신념의 점수가 3점 이하일 때 도입합니다. 왜냐하면, 내면에 부정적인 것이 많을 때 도입하면 아무리 긍정적인 걸 생각해도 내면에서 부정적인 것이 치고 올라오기 때문입니다. 그래서 부정적인 걸 먼저 다뤄 해소하고 긍정적인 내용을 내면에 넣어야 합니다.

또한, 미래에 비슷한 상황이 벌어진다면 앞으로 어떻게 행동하면 좋을지 생각해보고 확언합니다. 그리고 그때의 이미지와 그때 드는 감정을 느껴보세요(미래의 심상과 감정 확인). 그러면서 내가 바라는 상황을 확언하는 것입니다.

예를 들면, '나는 앞으로 사람들 앞에서 자신감 있게 말하는 것을 선택한다', '나는 그를 용서하고 평온한 마음으로 사는 것을 선택한다', '나는 내가 원하는 때에 원하는 방식으로 행동하는 것을 선택한다' 등이 될 수 있습니다.

또한, 내가 겪은 일이 내 삶에 주는 의미를 생각해보고 감사하는 마음을 갖는 것도 좋습니다.

예를 들면, '나는 내게 일어난 이 사건의 의미가 나를 영적으로 깨우고 나 자신과 타인에 대한 내 마음속의 사랑을 일깨우는 촉매제로 작용했다는 것을 확신하며 이 사건에 대해 감사한다' 등이 될 수 있습니다.

-친구한테 불쾌함을 표하고 진심어린 사과를 요청해볼거 같아
-남자친구한테 담담하게 이별을 고할래
-발목은 낫기위해 병원에 가볼거야.
-나는 한 사람만 바라보고 충실하게 사랑하는 관계를 선택한다.

3.12 영화관 기법

지금까지 EFT를 하는 방법과, 내적평화과정이라는 큰 틀에서 해나가면 된다는 것을 배웠습니다. 이제 EFT로 트라우마를 다룰 때 좀 더 체계를 갖춰서 해나가는 방법을 말씀드리겠습니다. 바로 영화관 기법과 살금살금 접근하기라는 기법입니다. 영화관 기법은 트라우마 기억을 한 편의 영화로 생각하여 정화해나가는 방법입니다. 살금살금 접근하기 기법은 떠올리기 괴로운 트라우마 기억에 압도당하지 않으면서 조심스럽게 정화해나가는 기법입니다.

우선 영화관 기법을 하는 방법부터 살펴보겠습니다.

첫 번째, 정화하려는 트라우마 기억을 정합니다. 그 기억을 단편 영화로 만든다고 상상하고 제목을 붙여봅니다. 만약, 영화가 너무 길면 n부작으로 나눈 후 1부 부터 차근차근 다룹니다. 말로 그 기억을 설명한다고 할 때 5분 정도 분량을 1부로 적당한 것 같습니다.

기억을 떠올릴 때는 눈을 감고 정수리나 손날을 두드리며 떠올립니다. 만약, 기억을 떠올리는 것조차 너무 괴롭다면 그 사건을 자세히 떠올리지 말고 아래 예문과 같이 먼저 EFT를 해서 점수를 3점 이하로 낮춘 후 구체적으로 떠올려서 다룰 수 있는지 확인합니다. 참고로 이 방법이 살금살금 접근하기 기법 중의 하나입니다.

"비록 나는 그 사건을 떠올리려고만 해도 심장이 두근거리고, 손발이 차가워지고 너무 무섭고 두렵지만, 이런 나를 마음속 깊이 완전히 받아들이고 사랑합니다."

구체적으로 떠올려도 괜찮은거 같다면, 이제 이 단편영화의 첫 장면과 끝 장면을 정합니다. 모든 영화는 첫 장면과 끝 장면이 있지요? 정했다면 이제 눈을 감고 첫 장면부터 끝 장면까지 머릿속에서 구체적으로 장면들을 떠올리면서 마치 제3자에게 설명해주듯이 말로 장면들을 설명합니다. 설명할 때 손날이나 정수리를 두드리면서 설명해 나갑니다. 최종목표는 이 단편 영화, 이 트라우마 기억을 감정적 불편함 없이 무덤덤하게, 마치 TV나 영화를 보면서 설명하는 것처럼 처음부터 끝까지 담담하게 경험하면서 설명하는 상태가 되는 것입니다.

설명을 해나가다가 불편한 감정이 올라오는 장면에서 일시정지하여 멈춘 후 EFT를 적용합니다. 불편한 장면이 완전히 해소되면 다음 장면 설명을 이어나갑니다.

불편한 장면에서 감정을 해소할 때 어떤 부분이 불편하고 찜찜하게 느껴지는지, 어떤 부정적 감정, 신념이 남아있는지 아주 구체적으로 세세하게 파악 후 다 해소해주어야 합니다. 해소 과정에서 다른 때의 기억이 난다면 잠시 적어두고 일단 다루고 있는 기억부터 먼저 다 해소해주고 난 뒤에 다루어 줍니다.

만약 무엇이 불편한지 딱 찝어내는데 어려움을 느낀다면, 넋두리하듯 의식의 흐름대로 떠오르는 불편한 요소들을 중얼중얼 말하면서 두드리는 것도 양상을 구체화 하는데 도움이 됩니다.

첫 장면부터 끝 장면까지 모든 장면을 다 정화시키고 나면 다시 이 단편영화를 첫 장면부터 끝 장면까지 떠올리고 설명하면서 불편한 지점이 없는지 다시 확인합니다. 불편한 지점이 있으면 해소해주면 되고, 없다면 정화가 끝난 것입니다.

참고로 첫 장면부터 끝 장면까지 차례대로 다루어줘도 되고 이 기억에서 가장 불편하게 느껴지는 장면, 그 다음으로 불편하게 느껴지는 장면 순서대로 해소해줘도 됩니다.

3.13 살금살금 접근하기

이번에는 트라우마를 다루는 두 번째 기법 살금살금 접근하기입니다. 이 기법은 3T, Tearless Trauma Technique 눈물없는 트라우마 기법이라고도 불립니다. 이 기법은 트라우마를 떠올리는 것이, 감정 때문에 너무 힘들때 사용하는 기법입니다. 트라우마를 다룰 수 있을 정도로 점진적으로 기억을 떠올려 문제를 큰 괴로움 없이 해소하는 방법입니다.

두 가지 방법이 있습니다.

첫 번째는 자세히 떠올리지 않은 상태에서 EFT 하기입니다.

"그 사고를(기억을) 떠올리려 하기만 해도 10점 정도로 너무 힘들지만, 이런 나를 마음속 깊이 완전히 이해하고 받아들입니다."

이런식으로 3점 이하가 될 때 까지 두드립니다. 일반적으로 점수가 떨어질수록 그 기억에 대해서 좀 더 구체적으로 떠올릴 수 있게 됩니다. 기억을 점점 더 자세히 떠올리는 과정에서 견디기 힘든 감정이 올라오면 멈추고 다시 "~하는 것을 살짝 떠올리면 여전히 너무 화가 나고 힘들지만, 이런 나를 마음속 깊이 완전히 받아들이고 이해합니다" 이런식으로 해서 다시 그 장면의 점수를 3점 이하로 만들어 줍니다. 3점 이하가 되면 더 자세히 그 장면을 떠올리고 감정을 느끼면서 해소해나갑니다.
예를 들어, 다음과 같이 합니다.

"비록 나는 그 사건을 떠올리려고 하면 10점 만큼 괴롭지만, ~"
>"비록 나는 자동차 사고에서 그 자동차를 (멀리서) 지켜보면 8

점 만큼 괴롭지만, ~"
>"비록 나는 자동차 앞좌석에 있는 사람 형체를 떠올리면 10점 정도 괴롭지만, ~"
>"비록 나는 자동차 앞좌석에 있는 피를 흘리며 신음하고 있는 사람을 떠올리면 9점 정도 괴롭지만, ~"

두 번째는 그 장면을 멀리서 본다고 생각하고 차츰 가까이 접근하는 방법입니다.

트라우마 사건이 TV 속에서 재생되고 있고 나는 그걸 본다고 상상합니다. 이러면 내가 직접 그 트라우마 장면 속에 있고 그것을 경험한다고 상상할 때보다 심적 괴로움이 덜합니다.

만약 TV를 본다고 상상해도 못 견디겠다면, 상자 속에 TV가 있고 그 상자를 내가 보고 있다고 상상할 때 괴로움이 느껴지는 정도를 파악합니다. 만약 상자를 본다고 상상해도 못 견디겠다면, 무인도 한 가운데 있는, TV가 들어있는 상자를 상상하고 무인도를 떠올려보는 상상을 할 때 괴로움이 느껴지는 정도를 파악합니다. 만약 무인도를 본다고 상상해도 못 견디겠다면, 다른 행성에 있는 나를 상상하고 무인도가 있는 행성을 떠올릴 때 괴로움이 느껴지는 정도를 파악합니다. 만약 행성을 본다고 상상해도 못 견디겠다면, 다른 은하계에 있는 나를 상상하고 그 행성이 있는 은하계를 떠올릴 때 괴로움이 느껴지는 정도를 파악합니다. 어떻게 하는지 감이 오시죠?

만약 무인도를 떠올려보는 상상을 할 때 견딜 수 있을 만큼 괴로움이 줄어들었다면, 이렇게 EFT 합니다.
"비록 나는 그 (트라우마가 재생되고 있는 TV가 들어있는) 상자가 있는 무인도를 떠올리면 5점만큼 두렵지만, 이런 나를 마음속 깊이 완전히 받아들이고 사랑합니다." 이런 식으로 해서 무인도를 두려움 없이 떠올릴 수 있고, 차례로 상자, TV, 그 사건 자체를 두려움 없이 떠올릴 수 있게 될 때까지 내면의 두려움을 점진적으로 줄여나갑니다. 이렇게 해서 결국 그 사건 자체를 영화관 기법을 통해 정화해주면 되는 것입니다.

4. EFT 감정자유기법의 심화 개념

이제 EFT의 심화 내용에 대해 배워 보겠습니다. 지금까지 뼈대를 세웠다면 이제는 살을 붙이는 작업입니다.

4.1 트라우마를 기억해낼 수 없을 때

트라우마를 떠올려 그때 느낀 감정과 신념을 해소하는게 우리의 목표인데, 6살 이전의 기억이나 태아기 트라우마와 같이 그때의 기억을 떠올릴 수 없다면 어떻게 할까요? 바로 상상이라는 방법을 사용합니다. 느낌 가는대로, 느껴지는 대로 장면을 상상해보는 것입니다.

우리가 하는 상상도 결국 우리 무의식에 있는 내용물의 범위 내에서 이루어 집니다. 어린시절 불행한 삶을 살았던 사람은 어린시절 부정적인 감정과 신념이 무의식에 각인이 되어 있고, 그 사람에게 어린시절을 상상해보라고 하면 어둡고 좋지 않은 장면을 떠올리기 마련입니다. 그래서 상상한 내용이 진짜인지 아닌지는 우리가 따질 필요가 없고, 그저 그 떠올린 또는 상상한 장면에서 느껴지는 부정적 감정과 신념만 해소하면 됩니다. 그렇게 부정적 감정과 신념이 해소하면 기존에 떠올린 장면도 새롭고 긍정적인 방향으로 변화되어 인식될 수 있습니다.

4.2 내면아이 EFT(무의식 다시 쓰기)

내면아이 EFT와 무의식 재각인입니다.

심리치유에서 흔히 '상처받은 내면아이'라는 용어가 많이 사용됩니다. 이 상처받은 내면아이라는 것이 우리의 부정적인 핵심 감정과 신념을 의미합니다. 감정과 신념이란 것이 추상적인 개념인데, 이걸 아이라는 것으로 대상화, 시각화하면 좀 더 다루기가 쉬워지는 경향이 있습니다.

일반적으로 인간이 외부 정보를 받아들일 때, 각 감각이 차지하는 비율은 다음과 같이 알려져 있습니다.

1)시각 : 약 80%
2)청각 : 약 10~15%
3)촉각 : 약 4~5%
4)후각 : 약 1~3%
5)미각 : 약 1% 미만

위 내용에서 보시는 것처럼 시각과 청각이 외부 정보를 받아들이는 데 가장 중요한 역할을 합니다. 그래서 '아, 감정과 신념을 더 쉽게 다루고 변화시키려고 아이라고 시각적으로 상상해서 다루어주는거구나'라고 이해하시면 됩니다.

그러면 내면아이를 어떻게 다루어야 할까요? 상처받은 과거 기억을 떠올리고 그 사건에서 과거의 나 자신의 모습, 마음을 상상하여 느껴봅니다. 이렇게 할 때, 외관(옷, 표정, 주변 환경 등), 생각, 감정 등을 파악해줍니다. 여기서 감정을 해소하는데 집중합니다.

보통 그 과거의 나 자신 즉 내면아이의 감정을 EFT로 해소해주면 그 아이의 표정, 주변 환경, 생각 등이 덩달아 긍정적이고 온전하게 바뀌어 느껴집니다. 즉, 울고 있는 것처럼 느껴졌던 아이가 무표정함을 거쳐 이제는 웃고있는 것처럼 느껴지고, 감정도 결국 평온하고 무덤덤해지는 것으로 변합니다. 주변 환경도 따뜻하고 아늑하게 느껴지도록 변할 수 있습니다.

좀 더 자세히 소개하면 다음과 같습니다.

우선 상처받은 기억의 상황과 나 그리고 주변 인물의 모습과 마음을 파악합니다. 그 후 과거 시절 자신 즉, 내면아이에게 현재의 내가 자신을 소개하고 그 아이에게 아이의 마음이 편안질 수 있도록 자신이 도와줘도 되는지 물어봅니다. 이 과정을 상상으로 하는 것입니다.

예시)안녕, 나는 미래에서 온 너야. 나는 너를 도와주기 위해서 여기에 왔어. 너는 나고, 나는 너이기 때문에 너가 진심으로 행복하고 편안해졌으면 좋겠어. 너가 괜찮다면, 너가 편안해지도록 도와줘도 될까?

그러면 80~90% 정도는 아이가 좋다고 하는 것으로 느껴집니다. 하지만 나머지 10~20%는 아이가 거부하는 것처럼 느껴집니다. 예를 들면, '왜 이렇게 늦게왔냐', '이제껏 날 여기 방치했으면서 이제야 왔냐'라고 하며 도움을 거부하는 것처럼 느껴집니다. 이럴 경우, 내가 그 아이가 되었다고 상상하고 EFT하여 거부하는 마음을 먼저 풀어줍니다.

예시)'비록 나는 저 사람(미래에서 온 나)이 이제껏 나를 방치하고

지금에서야 날 찾아온게 너무나 화가 나고 슬프지만, 이런 나를 마음속 깊이 이해하고 받아들입니다.'

아이가 도움을 허락하면 과거 나 자신의 마음을 느껴보고 EFT를 해줍니다. 이때 그 아이를 두드려준다고 상상하면서 내자신을 두드리는 것입니다. 그 아이를 두드려준다고 꼭 상상하지 않아도 되며, 안아주는 상상을 하는 것이 편하다면 그렇게 상상을 하면서 스스로를 두드리세요. 또는 내가 아예 그 아이가 됐다고 상상하고 그 아이의 입장에서 EFT를 해도 됩니다.

핵심은 마음에 사랑을 품고 EFT를 하는 것입니다. 즉, 과거의 나 자신을 위로하는 마음으로, 격려하는 마음으로, 편안해지기를 바라는 마음을 품고 EFT하는 것입니다. 이 과정에 이 아이의 불편한 마음을 동시에 느껴줍니다. 사랑, 이해, 친절, 자비, 연민의 마음으로 이 아이의 불편한 마음을 느껴주는 것입니다.

너무 중요해서 다시 말씀드리겠습니다. 사랑, 이해, 친절, 자비, 연민의 마음으로 이 아이의 불편한 마음을 느껴주는 것입니다. 마치 반려동물을 대하는 마음으로, 사랑하는 사람을 대하는 마음으로 말이죠.

이 과정에서 아래와 같은 문장을 수용확언으로 사용할 수 있습니다.

"비록 너는 엄마가 널 혼자 두고가서 너무나 외롭고 속상하지만, 그래도 너는 착하고 사랑스러운 아이야"
"비록 너는 엄마가 널 혼자 두고가서 너무나 외롭고 속상하겠지만, 그래도 너는 너 자신을 완전히 받아들이고 사랑할 수 있어"

"비록 너는 엄마가 널 혼자 두고가서 너무나 외롭고 속상하겠지만, 그래도 너는 엄마를 용서하고 사랑할 수 있어"

EFT를 할 때 연속 두드리기 과정에서 연상어구를 말해도 되지만, 넋두리하듯이 감정을 느껴주면서 떠오르는 생각을 주절주절 말해도 됩니다. 이걸 응용해서 아이의 마음을 풀어줄때도, 아이의 마음을 알아주는 형식으로 주절주절 얘기하면서 해줄 수 있습니다. 이걸 '알아주기'라고 부르겠습니다.

알아주기의 핵심은 과거의 나를 따뜻하게 위로하고 격려해주는 형식으로 과거의 내가 어떠한 감정을 느꼈던 간에 차별없이 온전히 받아들이고 과거의 내가 듣기를 바랬던 말과 대우받길 희망했던 행동을 해주는 상상을 두드리면서 하는 것입니다.

알아주기를 할 때 활용할 수 있는 문장은 아래와 같습니다.

-괜찮아, 그럴 수 있어
-너가 그래도 나는 널 사랑해
-넌 지금 이대로도 충분해
-넌 정말 소중한 사람이야
-지금껏 잘해줘서 고마워
-너의 존재 자체가 난 소중해
-지금도 정말 잘하고 있어
-이제까지 잘해왔고 잘하고 있고 앞으로도 잘 할거야
-실패해도 괜찮아, 너무 애쓰지마
-사랑해
-꼬옥 안아줄게
-내가 항상 너의 편이 되어줄게

-네 잘못이 아니야, 누구라도 그 상황이었다면 그렇게 했을거야
-이제 괜찮아, 내가 널 위해 네 옆에 항상 같이 있어줄게

아래는 알아주기의 예시입니다. 아래와 똑같이 할 필요는 없으며 새롭게 떠오른, 마음에 드는 문구가 있다면 적극적으로 사용해주세요. 아래 문장을 과거의 나에게 얘기해주는 상상을 하면서 두드리면 됩니다. 입밖으로 얘기해도 되고 안해도됩니다. 하는 것을 추천드리며, 내용은 과거의 나의 마음에서 느껴지는 양상+현재의 나의 격려 내용을 바탕으로 구성하시면 됩니다.

준영아, 그동안 많이 힘들었지? 많이 외롭고 무서웠지? 이제 괜찮아, 이제 내가 네 옆에 항상 같이 있을게. 그동안 네가 이렇게 마음 아프고 두려워하고 있는지 몰랐어. 내가 신경 써주지 못해 정말 미안해. 너 혼자 아파하며 외롭게 내버려둬서 정말 미안해. 너가 그런 일을 겪은 건 네 잘못이 아니야, 누구라도 그런 상황이라면 그렇게 했을거야. 너가 그렇게 할 수 밖에 없다는 걸 난 이해하고 난 너의 편이야. 내가 앞으로 널 지켜줄게. 그동안 잘 버텨왔어. 이제는 나와 함께하자. 내가 힘이 되어줄게. 내가 든든한 울타리가 되어줄게. 한 번 안아줘도 될까? 넌 정말 소중한 아이야, 사랑해.

이렇게 해주면서 틈틈이 아이의 표정과 마음이 풀렸는지 느껴봅니다. 덜 풀렸다면, 구체적 양상을 파악하는데, 아이의 마음을 느껴보고 아이가 여전히 어떤 것 때문에 불편한 마음이 있는지 확인해보고 그 마음을 가지고 EFT 해줍니다. 감정이 해소될수록 아이의 표정과 마음이 긍정적으로 변하는 것을 확인하실 수 있습니다.

불편한 감정이 3점 미만이 되면, 아이가 원하는 것이 무엇인지 파악합니다.

예를 들면, '~야, 어떻게 하면 네 마음이 더 편안해질 수 있겠니?, 무엇이 여전히 약간 불편하니?' 이렇게 질문해보고 파악된 내용으로 EFT를 합니다.

다시 말해, 감정 수치가 한 3점 정도로 내려가면, 아이가 이 상황에서 마음이 더 편해지려면 무엇이 필요한지 물어보거나 느껴보고, 아이가 원하는 것을 해주는 것을 상상합니다.

예를 들면, 아이가 일하러 가서 바쁜 엄마가 보고싶다고 하면 제일 처음으로 해줄 것은 그 아이의 외로움을 달래주는 것이고, 외로움이 3점 이하로 떨어지면 성인인 내가 과거의 엄마에게 가 아이의 사정을 설명하고 엄마를 아이에게 데려오는 것입니다.

이 상상 속에서 현재의 나는 아이가 외로우니 집에와서 아이와 놀아주라고 과거의 엄마에게 말하고 엄마는 성인인 나의 말을 알아듣고 아이에게 와 성심성의껏 놀아주는 장면이 펼쳐질 수 있겠죠.

만약 이 과정에서 과거의 엄마 마음을 느껴봤을 때 아이에게 무관심하거나 힘들어하거나 부정적인 감정을 품고있는게 느껴진다면 그런 엄마의 마음을 우선 EFT로 풀어줍니다. 내가 엄마가 됐다고 상상해줘도 되고, 성인인 내가 엄마를 도와 EFT를 해준다고 상상해줘도 됩니다.

앞에 말씀드린 일련의 과정을 거친 후 아이의 마음을 다시 느껴봤을 때, 외로움은 0점인데, 엄마가 다시 갈까봐 '불안'하다고 하면, 이 불안을 다시 EFT로 완전히 해소해주면 되는 것입니다. 그리고

그런데, 가급적이면 부정적 감정 0점으로 만들어주고 원하는 것을 해주는 장면 상상하는게 더 좋습니다. 우리가 원하는 그림을 그리려면 백지 도화지에 그려주는 것이 좋겠지요? 부정적 감정을 먼저 다 해소하지 않으면 긍정적인 상상이 잘 이루어지지 않을 수 있습니다. 예를 들면, 과거의 나 또는 엄마가 완전히 행복하다고 느껴지지 않을 수 있겠지요.

중요한 내용 중 한 가지는, 엄마의 마음이 풀려야 모성애가 살아나 아이를 사랑으로 감싸 안을 수 있다는 것입니다. 그래서 보통 이런 케이스에서는 엄마의 마음을 먼저 해소해줍니다.

나와 관계된 인물들의 마음을 모두 해소해줘야 현재 내 마음이 편안해질 수 있다는 원리는 어린시절 아빠, 할머니, 할아버지, (낙태된) 형제자매, 친척, 친구, 기타 인물 등 모두에게 적용될 수 있습니다.

꼭 과거 나의 입장이 되어 EFT를 할 수 있는 것이 아니라 엄마, 아빠, 할아버지, 할머니, 형제, 친척, 친구, 영혼 등 모든 존재가 되어서 그 존재의 입장에서 EFT를 할 수 있다는 얘기입니다.

예를 들어, 어떤 영혼이 나를 괴롭힌다고 생각하는 사람이 있다고 합시다. 그러면, 이 사람은 영혼을 불러내는 상상을 하고 그 영혼의 입장이 되어 그 영혼의 생각, 감정을 느껴보고 EFT를 할 수 있습니다.

영혼이 느끼고 있다고 느껴지는 감정이나 생각들 모두 사실은 내 마음속에 있는 것들이기 때문에 영혼(타인의 존재)과의 관계가 긍정적이게 느껴지려면 관련인(영혼)의 마음이 모두 해소되어야 합니다. 그렇게 해서 성공적으로 EFT를 마무리하면 즉, 감정이나 신념을 다 해소하면 더 이상 영혼이 나를 괴롭힌다는 생각은 들지 않을 것입니다.

다시 한 번 말씀드리면, 이런 치유 과정은 실제로 내 마음 바깥에 다른 존재가 있다기 보다는, 모든 것이 내 한 마음안에 들어 있는 것이며, 타인이 나를 미워한다고 느끼는 관점은 사실 내 마음 안에 있는 미워하는 마음이 타인에게 투사된 것이라고 보는 관점에 기본 바탕을 두고 있습니다.

즉, 타인이 실제로 나를 미워하는 마음을 가지고 있는지의 여부와 관계없이, 내 마음 속에 타인을 미워하는 마음을 가지고 있으면 이 마음이 '타인이 나를 미워한다'라고 느끼게 한다는 것입니다. 그래서 내 마음속에 미워하는 마음을 해소하고 나면, 실제로 타인이 나를 미워하는지 안하는지에 관계없이 내 마음이 평온해진다는 것입니다.

다시 내면아이 치유 얘기로 돌아오면, 과거의 나와 관련인물의 감정이 모두 해소되어 완전히 평온해지고 충분히 긍정적인 이미지가 상상되면 아이(과거의 나)가 있는 이미지와 그때의 긍정적인 느낌을 충분히 느껴줍니다. 그리고 이미지와 느낌이 하나의 따뜻하고 밝고 환한 빛으로 바뀌는 것을 상상합니다. 그 후 내 심장 속에 이 빛이 합쳐 스며드는 상상을 합니다. 그리고 다시 한 번 그 때의 이미지 그리고 느낌을 생생하게 느낍니다. 이제 심장과 하나가 된 이 빛이 심장 박동 수에 따라 마치 호수의 물결이 동

그렇게 퍼져나가듯이 온 몸을 가득 채우는 상상을 합니다. 이제 이 몸 전체에 가득찬 따뜻하고 밝은 빛의 이미지를 상상하고 동시에 평온한 느낌을 생생하게 느낍니다. 잠시 뒤 이 빛이 몸에서 퍼져나가 온 우주 즉, 내 직장, 집 등을 포함한 전 세계, 전 우주를 가득 채우는 상상을 합니다. 이제 전 우주에 퍼진 이 빛의 이미지와 느낌을 얼마 동안 생생하게 느낀 뒤 이 빛이 다시 내 심장과 뇌로 합쳐지는 상상을 합니다. 참고로 이렇게 이미지와 느낌을 느껴줄 때 두드리면서 해주세요. 또한, 빛을 상상해도 좋고 빛 안을 들여다보면서 편안해진 모습(아기와 엄마의 이미지)이 구체적으로 나타나는(보이는) 상상해도 좋습니다.

중요한 것은 이 과정을 하면서 이미지를 떠올릴 때 느꼈던 그 긍정적이고 평온한 느낌 등을 마치 그것이 현실인 것처럼 생생하게 느껴주는 것입니다. 이 과정이 무의식에 긍정적 이미지와 감정을 각인하는 작업입니다. 무의식은 과거, 현재, 미래의 시간 개념이 없기 때문에, 무의식에서 이렇게 과거의 이미지, 느낌을 변화시켜주면 현재, 미래 모두에 영향을 미칩니다. 그리고 이 변화의 영향은 영구적입니다.

EFT 작업을 종료한 후에도 일상에서 틈틈이 특히 잠자기 직전 15분이나 잠에서 깨어난 직후 15분 정도, 즉 무의식에 영향을 미치기 좋은 시간에 변화된 이미지와 그때 느껴지는 감정을 마치 현실인 것처럼 생생하게 느껴주는 작업을 자주 해줍니다. 이렇게 자주 해줄수록 이것이 내 현실로 펼쳐지는 시간이 빨라집니다.

지금까지 얘기한 것은 과거에 일어나서 이미 종료된 사건과 관련하여 부정적 감정 및 신념을 해소하고 새롭고 긍정적인 내용을 무의식에 새겨 넣는 작업입니다. 그런데, 만약 종료된 사건이 아니라 현재 진행형인 사건이나 미래의 일이라면 어떻게 할까요?

미래의 일은 과거의 똑같이 다뤄주면 됩니다. 다만 시점이 미래인 것이죠. 미래의 나를 상상해서 동일한 EFT 과정을 해주면됩니다.

현재 진행형인 사건의 경우를 예를 들어보면 다음과 같습니다.

예를 들어, 친구와 싸우고 난 뒤 집에 왔는데, 그 친구가 나를 욕하고 미워할 것 같다고 느껴지는 것은 '내 마음'입니다. 즉, 내 마음속에 있는 그 친구입니다. 실제 그 친구와는 다르죠. 그래서 내 마음속에 있는 이 친구의 마음을 풀어줬다고 해서 현실에서 이 친구의 마음이 풀어지는 건 아닐 수 있습니다. 물론 내 무의식이 변화되기 때문에 현실에서 이 친구의 무의식과 상호작용해 그 친구의 언행에 변화가 일어날 수도 있습니다. 그런 경우도 실제로 많고요. 하지만, 그러지 않을 경우엔, 일단 내 마음을 편안하게 만들고 현실에서 이 친구와 상호작용하면서 지속적으로 이 친구를 이해와 연민 그리고 용서의 마음가짐으로 대하는 태도를 개발함으로써, 평화와 건설적인 삶의 방식을 찾아야 합니다. 결국 내 의식수준이 높아져야 한다는 말입니다.

인간관계에서 무적이 되려면 모든 사람을 무조건적으로 사랑하라는 말이 있는데, 이 말은 진실이며 경험 가능합니다. 이런 태도를 내가 계발해서 외부의 스트레스에 잘 대처할 수 있는 사람이 되는 노력을 병행해 나가야 합니다.

4.3 문제가 재발할 때

어떤 기억을 정화했는데, 얼마 뒤에 그 기억과 관련된 불편한 감정이 올라온다면, EFT가 효과가 없는 것일까요? 아닙니다. 이런 경우는 대부분, 그 기억과 관련되어 EFT를 할 당시에 발견되지 않았던 양상이 올라오는 경우입니다. 즉, 숨겨져 있던 양상이 올라오는 것이죠. 이럴 땐, 왜 불편한지, 어떤 것이 불편한지 자세히 들여다보고 그 양상을 EFT로 다루어 주면 됩니다.

4.4 EFT가 효과 없는 것 같을 때

만약 EFT를 해도 효과가 없는 것 같다면 다음의 11가지 요소를 고려해보세요. 보통은 1번에서 8번 사이에서 대부분의 이유를 찾아볼 수 있습니다.

첫 번째, 생략한 것을 포함시키세요.

1)준비작업(수용확언) 생략 > 준비작업(수용확언) 3번 포함시키기. 수용확언을 할 때, 큰 소리로 말하기. 수용확언 끝 부분의 '이해합니다', '받아들입니다' 등의 부분에서 진심을 담아서 얘기하기

2)뇌조율과정을 생략 > 연속 두드리기 사이에 포함시키기

3)단축버전 두드리기 > 정식버전 두드리기(명치 옆~손목 안쪽까지의 과정을 포함시키기)

두 번째, 양상을 구체적으로 파악하세요.
양상을 구체적으로 파악하지 않고 EFT를 했었다면, 양상을 구체적으로 파악해주세요. EFT에는 '추상적으로 EFT하면 추상적으로 문제가 해결되고, 구체적으로 하면 구체적으로 문제가 해결된다'는 말이 있습니다. 예를 들어, 그냥 단순히 '우울하다' 이러면서 두드리지 말고, 내가 어떤 상황에서 어떤 이유로 몇 점 정도 우울한지 아주 구체적으로 인지(파악)하고, 말로 소리내서 표현하면서 두드리세요.

세 번째, 양상의 변화를 기민하게 파악하세요.
두드리면서 감정이 해소 되는데, 감정이 해소되는 과정에서 양상

이 변화합니다. 즉 기억, 감정, 생각, 오감의 변화 등을 인지할 수 있습니다.

예를 들어, 아까는 친구가 내 뺨을 때려서 화가 났는데, 두드리면서 분노가 누그러들면, 갑자기 과거에 화가 났던 또 다른 일이 떠오를 수도 있고, 갑자기 분노가 아닌 슬픔이 더 두드러지게 느껴질 수도 있고, 친구에 대해서 또 다른 좀 더 온전한(긍정적인 방향에 더 가까운) 생각이 떠오를 수도 있고, 갑자기 손에 통증이 느껴질 수도 있습니다. 이런 양상의 변화를 기민하게 포착해서 새롭게 드러나는 양상을 가지고 EFT를 해나가세요.

네 번째, 핵심 주제(핵심 사건/감정/신념)을 다루세요.
우리가 상처를 낫게하려고 약을 바를 때 상처 부위 주변에 약을 발라야 합니까, 아니면 상처 부위에 약을 발라야 합니까? 상처 부위에 직접 약을 발라야 상처가 낫겠지요? 이처럼 EFT에서도 불편한 마음의 핵심, 정곡을 찔러야 불편함을 신속히 해소할 수 있습니다. 예를 들어 보겠습니다.

나의 핵심 감정이 불안이고, 19살 때 경험한 불안과 관련된 기억을 치유하고자 할 때, 불안의 수치가 일정 수준 밑으로 내려가지 않는다면, 이런 감정을 느낀 더 이전의 순간이 있는 경우가 많습니다. 즉, 불안과 관련된 핵심 사건이 있는 경우입니다.

이런 경우 보통 불안을 느낀 최초의 순간을 찾아서 그 순간부터 정화한 후 다시 19살 때를 느껴보면 불안의 수치가 없거나 많이 내려간 경우를 확인 할 수 있습니다. 그러니까 불안이 이미 과거의 기억에 의해 밑에 깔려있으니 19살 때 불안이 쉽게 0점이 안 되는 경우입니다.

최초의 순간을 찾는 방법은 불안을 느낀 기억(장면)에서 '이 불안 지금 이 순간에 처음 느껴본 것처럼 새로운 느낌인가, 아니면 이 불안이 뭔가 더 이전, 더 과거에도 느껴본 것처럼 익숙한 느낌인 가?'를 스스로 또는 내담자에게 물어보는 것입니다. 그래서 뭔가 이 기억 이전에도 느껴봤을 것 같다는 느낌이 들면, 그 느낌에 집중한 채, 정수리를 두드리면서 더 이전의 순간이 떠오르길 기다 려봅니다. 떠오르지 않는다면 상상을 하면 됩니다.

그래서 최초의 순간을 찾았다면, 그 떠올린(상상한) 순간의 감정 을 기억을 정화하듯 EFT로 해소해주면 됩니다. 상상에는 우리 무 의식이 다 묻어나니까, 상상한게 사실인지 아닌지는 따질 필요가 없이, 우리 내면에 느껴지는 불편함만 해소하면 됩니다.

다섯 번째, 여러 양상은 각개격파하세요.
즉, 한 번에 하나의 양상만 다룹니다. 하나의 사건에서 불안하고, 우울하고, 자책하는 마음이 들고, 화가 나고 그러더라도 가장 두 드러지는 하나의 감정만 우선 해소해나갑니다. 그러면, 나머지는 저절로 줄어드는 경향을 보입니다.
또한, 가장 두드러지는 감정과 연관된 양상이 여러개라도 가장 두 드러지는 양상 하나만 잡고 해소해나갑니다. 하나의 사건에서 불 안한 감정이 가장 두드러지고, 그 사건 장면에서 불안한 이유가 A, B, C, D, E가 있다면 이 중 가장 두드러지게 느껴지는 이유를 하나 뽑아서 우선적으로 다루어주라는 얘기입니다. 그러면 나머지 양상과 관련된 감정적 부하도 같이 줄어드는 효과를 보이는 경우 가 많습니다.

여섯 번째, 심리적 저항을 해소하세요.

심리적 역전 즉, 사실은 치유를 원하지 않는 마음을 인식하고 EFT를 적용합니다.

심리적 역전은 의식적 판단과 무의식적 판단이 반대가 된 상황입니다. 깊은 내면에서는 증상이 없어지는 것보다 유지되는 것이 낫다고 판단 할 때가 있습니다. 보통 이차적 이득이 있을 때 그렇습니다. 예를 들면, 몸이 낫고 싶지만, 몸이 나으면 남편의 보살핌(사랑) 또는 부모님의 보살핌(사랑)을 못받게 되어 치유에 저항하는 깊은 마음이 심리적 역전의 대표적인 예입니다.

심리적 역전이 있다고 의심되면, 그 이유를 구체적으로 찾아보고 다음과 같이 EFT 합니다.

'비록 내 무의식의 뭔가가 치유에 저항하는 것 같지만 그런 나 자신을 온전히 받아들이고 사랑합니다'
'내 무의식은 치유되지 않기를 원하지만, 그런 나 자신을 온전히 받아들이고 사랑합니다.'

심리적 역전을 찾는 질문은 다음과 같은 것이 될 수 있습니다.

-문제가 해결되는 걸 방해하는 감정 또는 신념이 있다면 무엇일까?
-문제와 관련해 남아있는 감정 또는 신념이 있다면 무엇일까?)
예)제가 살을 빼면 남자들이 절 귀찮게 굴거에요.
-문제가 해결되려면 무엇이 필요할까?
-문제가 있어서 좋은 점은 무엇일까?
예)아픈 저를 보살피는 남편 덕분에 사랑을 느낄 수 있어요. 제가 나으면 이 사랑을 잃을까 두려워요.
-문제가 사라지면 안 좋은 점은 무엇일까?

예)장사가 잘되어 바빠지면 제 개인 시간이 사라질까 두려워요.
-당장 문제가 해결되면 무슨 일이 벌어질까?

일곱 번째, EFT 기법 자체에 대한 불신을 해소하세요.
EFT에 대한 불신이 있다면 다음과 같은 문장을 사용할 수 있습니다.

'비록 나는 이 두드리는게 내 문제를 해결해줄 것이라고 믿지 않지만, 이런 내 자신을 마음속 깊이 이해하고 받아들입니다.'

연속 두드리기를 할 때 문구
'내 문제를 말하면서 두드리는게 무슨 효과가 있겠어'
'몸 좀 두드린다고 뭐가 나아지겠어'
'난 안믿어. 사이비 같아. 이런게 무슨 효과가 있겠어. 참으로 웃기군'

여덟 번째로 지속성을 가지고 꾸준히 하세요.
EFT를 하는 초반에 효과가 없더라도 또는 점수가 조금씩 내려가더라도 꾸준히 EFT 해나가세요. EFT를 한 번하고 기적적인 효과를 보는 케이스가 없는 것은 아닙니다만, 꾸준하게 인내심을 가지고 해야되는 경우가 일반적입니다. 적어도 21일 동안 하루에 1시간씩은 해보시길 권장드립니다.

바로 효과가 나지않고 하루 이틀 시간이 지난 후 효과가 나타나는 경우도 있다는 걸 참고해주세요.

아홉 번째, 물을 충분히 드세요.
탈수가 일어날 경우 신체 에너지 시스템의 활성이 떨어져 EFT가 잘 작동하지 않을 수 있습니다. 그래서 EFT 전 물을 충분히 섭취하시길 권장드립니다.

열 번째, 호흡을 깊이 하세요.
호흡을 얕게 할 때 EFT가 잘 작동하지 않을 수 있습니다. EFT를 하면서 지속적으로 쉼호흡을 깊이 들이쉬고 내쉽니다. 또한, 연속 두드리기 2회 후 쇄골 호흡(쇄골 부위 두드리며 3번 호흡) 시 쉼호흡을 3초간 코로 들이쉬고 3초간 입으로 내쉽니다.

열 한 번째, 독소를 피하세요.
음식이나 환경에서 독소로 작용하는 요인이 있으면 EFT가 잘 작동하지 않을 수 있으니 환경을 바꿔서 EFT를 시도해보시기 바랍니다.

-술, 담배, 일부 의약품에 의한 중독/화학적 작용
-에너지 독소나 물질에 대한 민감성 : 일부 음식, 카펫, 옷, 일부 금속, 보석, 핸드폰 등
>환경을 바꿉니다. 다른 곳으로 가거나 몸에서 떼어냅니다.
-다른 시간대에 시도해 본다.
-비누를 쓰지 않고 샤워한다.

4.5 명현 현상

명현 현상은 질병, 중독이 치유되는 과정에서 나타나는, 인체의 자연 치유력이 작용하고 있다는 것을 알리는 자연스러운 현상입니다. 명현 현상에는 다음과 같은 것들이 있습니다.

하품, 두통, 눈물, 방귀, 트름, 졸음, 공포감, 온몸이 굳는 느낌, 심장이 빨리 뜀, 울음, 몸이 떨림, 구역질할 것 같은 느낌, 미쳐버릴 것 같은 느낌, 죽어버리고 싶은 느낌, 슬픔과 비참한 느낌, 분노, 숨 막힐 것 같은 답답함, 소리지르고 싶은 마음, 외로움, 비난받고 거부당하고 버림받을 것 같은 두려움, 온 몸에 힘이 빠지는 느낌, 팔다리가 저리고 마비되는 느낌, 수치심, 쫓기는 듯한 느낌, 가만히 있을 수 없는 느낌, 어지러움 등.

명현 현상을 겪을 때는 아래와 같이 대응하면서 현상이 사라지길 기다리시길 바랍니다. 1)~3)을 동시에 하는 것입니다.

1)정수리부터 손목 안쪽까지 두드리기
2)쉼호흡 깊게 하기
3)이런 현상 자체를 저항없이 있는 그대로 받아들이겠다는 편안한 마음 갖기

4.6 빌려쓰는 효과(Borrowing Effect)

우리 모두가 에너지적으로 연결되어 있어 EFT를 하면 서로 영향을 주고 받을 수 있다는 내용이 빌려쓰는 효과와 뒤에서 말씀드릴 대리 EFT 기법의 핵심 원리이며, 이 원리 덕분에 EFT 그룹 세션이 가능합니다.

빌려쓰는 효과는 EFT 그룹 세션에서 자주 발생하는 현상입니다. EFT 그룹 세션에서는 참가자 개개인 별로 맞춤화된 세션 진행이 어렵습니다. 따라서 참가자들은 그룹 리더가 진행하는, 특정 주제에 바탕을 둔 EFT 세션을 따라합니다. 이 특정 주제는 참가자들이 겪고 있는 문제가 아닐수도 있는데, 그럼에도 불구하고 참가자들이 자신들의 문제 해소에 긍정적인 효과를 경험하게 됩니다. 즉, 다른 사람의 EFT 과정에서 효과를 빌려와 자신의 감정을 치유하는 것입니다. 그래서 빌려쓰는 효과라고 합니다.

예를 들어, 그룹 세션에서 한 참가자가 과거의 트라우마(예: 학창 시절의 괴롭힘 경험)에 대해 EFT 세션을 받고 있습니다. 이 세션은 그룹 내 다른 사람들이 지켜보는 상황에서 진행됩니다.

다른 그룹 참가자들은 본인의 문제와 직접적인 관련이 없는 주제이고 자신이 굳이 EFT를 직접적으로 하지 않았음에도 불구하고, 이 EFT 과정을 지켜보거나 동참하면서 자신의 개인적 감정 문제(스트레스, 불안 등)가 해소되고 안정감을 경험할 수 있습니다.

4.7 대리 EFT(Surrogate EFT)

대리 EFT(Surrogate EFT)는 빌려쓰는 효과(Borrowing Effect)를 이용한 EFT의 한 응용 기법으로, 특정 당사자가 직접 EFT를 수행하지 않아도 다른 사람이 EFT를 대신해 실시할 수 있다는 개념을 이용합니다. 이때 EFT를 수행하는 사람도 동시에 긍정적인 변화를 경험할 수 있다는 점이 중요한 특징입니다(빌려쓰는 효과).

대리 EFT를 할때는, 내가 해당 대상이 되었다고 상상하며, 그 대상이 느낄만한 생각과 감정을 추측한 뒤 EFT를 진행합니다. 대리 EFT의 대상은 반려동물, 아기같은 생물이 될 수도 있고 컴퓨터, 자동차 등과 같은 무생물이 될 수 있습니다.

예를 들어, 어린 아이가 어둠에 대한 두려움을 느낍니다. 하지만 나이가 어리거나 불안감이 심해 EFT를 직접 수행할 수 없습니다. 아이의 어머니가 아이 대신 EFT를 수행합니다. 어머니는 아이의 감정을 마음속에 떠올리고, "비록 나는 어둠이 두렵지만, 그럼에도 나는 사랑스러운 아이야(1인칭 버전)", "비록 내 아이가 어둠을 두려워하지만, 그럼에도 나는 아이를 사랑하고 받아들입니다(3인칭 버전)"와 같은 긍정적인 문구로 EFT 과정을 진행합니다.

그 결과 아이는 직접 EFT를 수행하지 않았지만 아이의 어둠에 대한 두려움이 감소 또는 해소될 수 있으며, 어머니 역시 자신의 불안이나 스트레스가 줄어드는 경험을 할 수 있습니다.

한 가지 명심해야 할 것은, 대리 EFT를 할 때 이기적인 목적을 품은 채 타인을 고의로 바꾸려고 하는 것은 작동하지 않는 경향이 있다는 것입니다. 타인을 진심으로 돕고자 하는 마음으로 해야 효과가 나타는 경향이 있습니다.

4.8 EFT로 중독 치유하기(ft.익명의 중독자 모임과 12단계)

기본적으로 중독은 불편한 감정의 회피를 위해 일어납니다. 우리가 불편한 감정을 느낄 때 하는 행위들을 살펴보면 쉽게 이해할 수 있습니다. 배달음식을 시키고 재밌는 드라마나 영화를 보곤하지요? 술을 먹거나, 게임을 하거나 심지어는 마약을 하거나 포르노에 중독이 되기도 합니다. 이 모든 것들이 권태로움, 지루함, 스트레스 등 불편한 감정을 회피하기 위해 일어나는 경우가 많습니다.

예를 한 가지 들어드리겠습니다. 베트남 전쟁 중 많은 군인들이 극심한 스트레스와 외로움, 그리고 트라우마 때문에 헤로인에 중독되었습니다. 당시 베트남에서는 헤로인이 싸고 쉽게 구할 수 있었기 때문에 많은 군인들이 이를 사용하게 되었죠. 하지만 이들은 미국으로 귀환한 후, 대부분이 다시 헤로인에 중독되지 않았습니다.

연구자 리 로빈스(Lee Robins)가 이끈 연구에 따르면, 전쟁 중 헤로인을 사용한 군인의 약 95%가 미국으로 돌아온 후에는 다시 중독되지 않았습니다. 이는 일반적인 헤로인 중독 회복 사례와는 크게 다른 결과였습니다. 보통 헤로인 중독자들은 치료 후 다시 약물에 손을 대는 비율이 매우 높지만, 베트남 참전 군인들은 그렇지 않았던 것이죠.

베트남 전쟁에서의 스트레스, 외로움과 공허함을 회피하기 위해 마약에 빠진 군인들이 종전 후 사회에 복귀해서 친밀한 인간관계를 형성하고 전시보다 행복한 삶을 살게되었습니다. 따라서 전쟁에서 느끼던 감정을 더는 경험하지 않게 되었고, 감정 회피를 위해 마약이 더는 필요없게 되어 찾지않게 되었다고 볼 수 있습니다.

한편, 감정을 회피하면 감정은 무의식에 억압되는데, 내면에 쌓이는 이런 감정들을 억누르는데 심리적 에너지가 많이 소모되어 외부 스트레스에 취약해져 쉽게 짜증이 나거나 어떤 일에 몰입해서 꾸준히 해나가기 어려워지는 될 수 있습니다. 또한, 감정을 억압하는 것이 심해지면 심신의 질환으로 발현될 수 있습니다.

EFT는 우리가 겪는 불편한 감정을 직면하고 해소하는데 도움을 줍니다. 그래서 감정이 해소되고 나면 중독행위가 줄어들다가 더 이상 일어나지 않게 됩니다.

EFT는 중독에 빠지게 되는 원인 중 하나인 불편한 감정 해소를 돕기도 하지만 술, 담배, 마약, 게임, 성행위 등에 이미 중독되어 느끼는 갈망을 감소시키는데도 효과를 보입니다. 그래서 EFT를 알기 전에는 중독 물질 또는 행위에 대한 욕구가 느껴지면 어쩔 수 없이 끌려가는 노예같은 삶을 살았다면, EFT를 배운 후에는 내가 중독 행위를 하여 또 잠깐의 쾌락에 빠질것인지, 아니면 이 욕구를 EFT로 해소하여 중독행위를 하지 않을지 선택을 할 수 있게 되는 것입니다.

갈망을 다루는 방법의 예를 말씀 드리겠습니다. 욕구가 느껴지는 신체 부위에 주의를 집중하여 두드리는 것입니다. 예를 들면, 식사 후 담배가 땡기는데, 목 아랫부위에서 느껴진다면, '비록 나는 목 아랫부위에서 8점 정도 빨간색의 욕구가 느껴지지만, 이런 나를 마음속 깊이 이해하고 받아들입니다'라는 문장을 이용해 EFT를 하면 욕구가 신속히 0점까지 줄어들어, 중독 행위나 물질을

안하고도 살 수 있겠다라는 가벼운 마음이 됩니다. 물론, 중독 행위 또는 물질에 대한 EFT를 할 때도 양상을 구체적으로 묘사하고, 양상의 변화를 기민하게 잡아내야 합니다.

또한, 중독이 있는 사람 중에는 내면에 트라우마 즉, 상처가 있는 경우가 많습니다. 그래서 우선은 중독 욕구를 다스리는 방법을 배워야 하고 이어서 내면의 상처 치유를 병행해야 합니다. 이 상처가 무엇이든 위에서 설명한 영화관 기법 등을 이용해 해소해나가면 됩니다. 그렇게 되면, 감정이 치유되기 때문에, 중독 행위에 대한 전반적인 욕구가 빠르게 감소합니다.

알코올 중독을 겪고 있는 사람을 EFT로 치료하는 경우를 들 수 있습니다. 예를 들어, A라는 사람이 어린 시절 부모로부터 정서적 학대를 받았다고 가정해봅시다. 이로 인해 그는 자신을 보호하고 감정적인 고통을 회피하기 위해 술을 마시는 습관을 들였고, 시간이 지나면서 알코올 중독으로 이어졌습니다. A는 자신의 중독이 단순한 알코올에 대한 갈망이 아니라, 어린 시절 경험한 트라우마와 연결되어 있다는 것을 깨닫지 못하고 있었습니다.

EFT 상담 세션에서 A는 자신이 중독에 빠진 원인을 깊이 탐구하게 될 수 있습니다. 상담사로서 저는 A에게 트라우마와 관련된 구체적인 감정, 예를 들어 어린 시절 학대를 당할 때 느꼈던 두려움이나 상처를 떠올리게 하고, 이 감정들을 하나씩 EFT 방식으로 해결해 나갈 수 있습니다. A는 EFT 탭핑을 통해 "나는 어떠어떠한 두려움을 느끼지만, 나는 나 자신을 완전히 받아들인다" 같은 긍정적인 문구를 반복하면서, 마음속 깊이 남아있던 두려움과 상처를 점차 해소해 나갑니다.

A는 술을 마시는 원인이 실제로는 과거의 감정적 고통에서 비롯되었음을 깨닫고, 그 감정들을 EFT로 풀어내면서, 점차 술을 의지하지 않게 됩니다. 이렇게 EFT는 과거 트라우마에서 비롯된 감정들을 처리하여 중독에서 벗어나도록 돕는 효과적인 도구로 사용될 수 있습니다.

EFT로 중독 갈망과 트라우마로 비롯된 감정을 해소하는 것과 더불어 저는 내담자에게 중독자 모임에 참여하는 것도 권장합니다.

예를 들어 알코올 중독이라면 익명의 알코올 중독자 모임, 도박 중독이라면 익명의 도박 중독자 모임에 나가 이 모임의 치유적 에너지장(사랑의 수준)의 도움을 받는 것이 도움이 됩니다.

모임 참여와 관련하여 중요한 것은 절대로 '나 이제 술 끊었어. 여기 안나와도 술 안마실 것 같아'라는 생각이 들 때 모임에 빠지지 않는 것입니다. 모임에는 평생 정기적으로 참여해야 합니다. 내가 술을 컨트롤 할 수 있을 것 같다고 오만을 부리는 순간 나는 다시 바닥으로 떨어집니다. 술 한잔은 괜찮겠지하며 술을 먹다가 제한 없이 술을 진창마시고 바닥에 다시 떨어지는 것을 무수히 많은 분들이 경험했습니다.

EFT와 직접적인 연관은 없지만, 익명의 알코올 중독자 모임과 12계명이란 것에 대해 설명을 드리고 싶습니다. 왜냐하면 이 글을 읽으시는 중독자분들이 익명의 xx 중독자 모임이 왜 치유적일 수 있는지 아시길 바라는 마음과 모임에 참여하셔서 회복되시길 바라는 마음 때문입니다.

AA(익명의 알코올 중독자 모임)의 계명은 "12단계"라고 불리며,

알코올 중독을 극복하기 위한 영적, 심리적 치유의 과정을 제시하는 중요한 원칙들입니다. 이 12단계는 중독에서 벗어나려는 사람들에게 심리적 및 영적인 치유를 제공하며, 그 과정에서 자신을 돌아보고, 영적인 성장을 추구하게 합니다. 비단 중독뿐만 아니라 여 종류의 심리적 문제 해소에도 굉장히 큰 도움이 될 수 있습니다. 우선 알코올 중독을 예를 들고, 중독 외의 심리적 문제에 어떻게 적용할 수 있고 치유 작용이 일어날 수 있는지 살펴보겠습니다.

아래는 각 단계의 의미와 그것이 알콜 중독 회복 과정에서 어떻게 치유적 역할을 하는지 설명한 내용입니다.

1. 우리는 알코올에 대해 무력하며, 우리의 삶이 통제 불가능해졌음을 인정한다.
(알코올이란 단어는 마약, 도박, 섹스 등 다른 단어로 대체될 수 있습니다)

의미: 첫 번째 단계는 자신의 중독을 인정하는 것입니다. 이는 회복의 출발점으로, 자신이 알코올에 대한 통제력을 상실했다는 것을 받아들이는 것입니다.

치유적 작용: 심리적으로는 자기 수용을 촉진하며, 영적으로는 자신의 약함을 인정함으로써 겸손과 수용의 태도를 배웁니다. 이는 자기 연민을 극복하고 변화하려는 첫걸음입니다.

2. 우리보다 더 큰 힘이 우리를 온전하게 할 수 있음을 믿게 되었다.

의미: 이 단계는 자신의 힘만으로는 중독을 이길 수 없다는 것을 깨닫고, 더 큰 힘(영적인 존재나 공동체)을 신뢰하는 것을 말합니다.

치유적 작용: 영적으로는 초월적인 존재나 힘에 의지함으로써 불안과 고립감을 극복하고, 심리적으로는 자신의 한계를 인정하고 도움을 받는 것에 대한 열린 마음을 형성합니다.

3. 우리의 의지와 삶을 더 큰 힘에게 맡기기로 결심했다.

의미: 이 단계는 자신의 삶을 영적인 힘에 맡기는 결정의 순간입니다.

치유적 작용: 이는 통제의 집착을 놓아버리고, 신뢰와 희망을 통해 심리적인 부담을 덜어줍니다. 영적으로는 신뢰와 헌신을 배웁니다.

4. 두려움 없이 철저히 자기 성찰을 하고 도덕적 성찰 목록 (*Inventory)을 작성했다.

의미: 자신을 깊이 돌아보고, 자신의 잘못과 결점을 정직하게 분석하는 단계입니다.

치유적 작용: 개인의 행동과 감정을 체계적으로 분석하여 심리적으로는 자기 이해와 정직함을 키우며, 억압된 감정과 패턴을 드러내 치유할 수 있는 기회를 제공합니다. 영적으로는 자아의 어두운 면을 수용하는 과정입니다.

*'Inventory'는 일반적으로 "재고 목록"이나 "목록 작성"을 의미합니다. 그러나 12단계의 문맥에서는 단순한 물리적인 재고 목록이 아니라 개인적인 내면 성찰이나 도덕적 평가를 가리키는 개념입니다. 이는 자신의 생각, 감정, 행동을 깊이 성찰하고, 과거의 잘못이나 행동 패턴을 있는 그대로 기록하여 문제를 인식하고 해결하려는 목적을 가지고 있습니다.

이를 한글로 번역할 때, "자기 성찰 목록"이나 "내면의 도덕적 평가" 또는 "도덕적 성찰 목록"으로 번역할 수 있습니다. 이 번역은 자신의 내면을 돌아보고, 중독과 관련된 감정, 경험, 행동을 정리하는 과정을 잘 반영할 수 있습니다.

5. 우리의 잘못을 자신과 신, 그리고 타인에게 솔직하게 인정했다.

의미: 자신의 잘못을 다른 사람에게 공개적으로 인정하는 단계입니다.

치유적 작용: 심리적으로는 죄책감을 줄여주고, 타인과의 관계를 회복하게 도와줍니다. 영적으로는 솔직함과 겸손을 통해 영혼을 정화하는 과정입니다.

6. 모든 결점을 신이 제거해 주시기를 완전히 준비했다.

의미: 자신의 결점과 단점을 받아들이고, 그것을 개선할 준비를 하는 단계입니다.

치유적 작용: 이는 변화에 대한 의지를 강화하고, 자신을 초월적

인 힘에 맡김으로써 내적 변화를 추구하게 합니다. 영적으로는 성장을 위한 준비 과정입니다.

7. 겸손하게 신에게 우리의 결점을 제거해 달라고 요청했다.

의미: 자신의 결점과 약점을 해결해 달라고 영적인 존재에게 겸손하게 기도하는 단계입니다.

치유적 작용: 영적으로는 기도를 통해 겸손과 신뢰를 배우며, 심리적으로는 자신을 개선하려는 내적 동기를 강화합니다.

8. 우리가 해를 끼친 모든 사람의 리스트를 작성하고 그들에게 보상할 준비를 했다.

의미: 자신이 상처 준 사람들을 떠올리고, 그들에게 보상할 준비를 하는 단계입니다.

치유적 작용: 심리적으로는 관계를 회복할 준비를 하게 하며, 영적으로는 용서와 화해의 중요성을 깨닫게 합니다.

9. 그들에게 직접 보상했으나, 그들이 피해를 입을 경우에는 제외했다.

의미: 실제로 상처를 준 사람들에게 용서를 구하거나 관계를 회복하는 단계입니다.

치유적 작용: 이 단계는 용서를 통한 관계 치유와 내면의 평화를 얻도록 도와줍니다. 영적으로는 화해와 용서의 중요성을 배웁니

다.

10. 개인적인 성찰 목록(inventory)을 계속해서 유지하고, 잘못이 있을 때 즉시 그것을 인정했다.

의미: 지속적으로 자기 성찰을 하고, 문제가 생길 때마다 즉각 인정하는 태도를 가지는 단계입니다.

치유적 작용: 심리적으로는 지속적인 자기 이해를 촉진하며, 영적으로는 꾸준한 정화를 통해 깨끗한 마음 상태를 유지하게 합니다.

11. 기도와 명상을 통해 신과의 관계를 증진하며, 신의 뜻을 알게 하고 그 뜻을 따를 수 있는 힘을 구했다.

의미: 영적 성장을 위해 기도와 명상을 통해 초월적 존재와의 관계를 강화하는 단계입니다.

치유적 작용: 영적으로는 명상과 기도를 통해 내면의 평화를 얻고, 심리적으로는 마음의 고요함과 명확함을 추구하는 과정입니다.

12. 영적 각성의 경험을 하고, 이 메시지를 다른 알코올 중독자에게 전하며, 이 원칙을 모든 일상에 적용하기로 결심했다.

의미: 영적 각성을 경험한 후, 그 교훈을 다른 중독자들에게 나누고, 자신의 삶에 계속 적용하는 단계입니다.

치유적 작용: 심리적으로는 자신을 도운 경험을 나누면서 자기 가

치감을 회복하고, 영적으로는 이타적인 봉사를 통해 더 큰 성장을 이루게 됩니다.

12단계가 갖는 중독 회복에서 갖는 의의를 심리적, 영성적 측면에서 정리해보면 다음과 같습니다.
심리적 치유: 각 단계는 심리적 과정에서 중요한 요소들—자기 수용, 자기 성찰, 관계 회복, 자기 변화 의지—를 다룹니다. 이를 통해 감정적으로 억눌린 감정을 풀어내고, 중독의 근본 원인인 트라우마와 상처를 치유할 수 있게 도와줍니다.

영성적 치유: 이 12단계는 개인이 자신의 약점을 인정하고, 더 큰 힘에 의지하며 영적인 성장을 이루도록 돕습니다. 이를 통해 개인은 자신의 자아와 트라우마를 초월하고 더 높은 영적인 존재와 연결됩니다. 용서, 겸손, 신뢰와 같은 영적 덕목을 배우며 영적인 각성을 경험하게 됩니다.

이제 이런 12단계가 알코올 의존성을 다루는 것을 넘어서, 다양한 심리적 문제를 해결하는 데 어떻게 도움이 될 수 있는지 살펴보겠습니다. 12단계 내용을 EFT의 수용확언이나 연상어구(연속두드리기 할 때 말하는 짧은 어구) 만들 때 적용하여 도입할 수 있기 때문에 참고하시면 도움이 되실 겁니다.

1. 우울증 및 불안

적용 방법: 12단계는 자아 성찰과 더 높은 힘에 의지하는 과정을 통해 우울증이나 불안으로 고통받는 사람들에게 도움이 될 수 있습니다. 또한, 불안을 줄이고, 일상적인 스트레스를 관리할 수 있게 돕습니다.

치유 작용: 자기 수용과 불확실성에 대한 신뢰를 높임으로써, 불안을 줄이고 우울감에서 벗어나는 데 기여할 수 있습니다. 특히 1단계와 3단계에서 자신의 삶이 통제 불능 상태에 있다는 것을 인정하고, 더 큰 힘에 의지하는 것이 불안의 해소에 도움이 됩니다.

2. 관계 문제

적용 방법: 4단계와 9단계에서 자신이 해를 끼친 사람들과의 관계를 성찰하고 보상하는 과정을 통해, 중독뿐만 아니라 다른 관계 문제(예: 가족 갈등, 친구와의 불화 등)도 해결할 수 있습니다.

치유 작용: 타인과의 관계를 회복하고 화해하는 과정에서 정서적 치유를 경험하게 됩니다. 이는 관계 문제에서 비롯된 스트레스를 완화하고, 건강한 인간관계를 다시 구축하는 데 기여합니다.

3. 자존감 문제

적용 방법: 12단계는 자신의 결점과 잘못을 인정하고, 그로부터 회복할 수 있는 길을 제시함으로써 자존감 문제에도 도움을 줄 수 있습니다. 4단계와 5단계에서 자기 성찰을 하고, 7단계에서는 자신의 결점을 받아들이고 변화할 준비를 합니다.

치유 작용: 자존감이 낮은 사람들은 자신을 정직하게 바라보고 스스로를 용서하는 과정을 통해 자신에 대한 긍정적인 시각을 키울 수 있습니다. 이는 자존감을 회복하는 데 매우 중요한 역할을 합니다.

4. 강박 행동 및 완벽주의

적용 방법: 강박적인 행동이나 완벽주의 성향을 가진 사람들에게 12단계의 자기 수용과 자기 개선 과정은 큰 도움이 될 수 있습니다. 특히 6단계와 10단계는 스스로의 결점을 인정하고, 이를 지속적으로 개선하는 데 중점을 둡니다.

치유 작용: 완벽주의나 강박적인 패턴에서 벗어나 스스로를 용서하고 개선하려는 의지를 높이며, 자기 비난에서 벗어나는 과정을 통해 내적 자유를 찾을 수 있습니다.

5. 트라우마 및 PTSD

적용 방법: 12단계는 트라우마나 외상 후 스트레스 장애(PTSD)를 겪는 사람들에게도 치유의 기회를 제공합니다. 특히 4단계에서 자기 성찰을 하고, 5단계에서 트라우마를 다른 사람과 공유하는 과정은 트라우마를 해소하는 데 큰 도움이 될 수 있습니다.

치유 작용: 트라우마에서 비롯된 감정을 표현하고 치유할 수 있는 공간을 제공하며, 안전한 환경에서 자신을 다시 재건하는 과정을 지원합니다.

6. 분노 및 감정 조절 문제

적용 방법: 분노 문제나 감정 조절 장애를 겪는 사람들에게, 12단계는 감정을 자각하고 그에 대해 책임을 지는 과정을 제공합니다. 10단계에서는 꾸준한 자기 점검을 통해 부정적인 감정을 인식하고 적절히 다루는 방법을 배웁니다.

치유 작용: 감정 조절 능력을 높이고, 충동적인 감정 표현에서 벗어나 이성적이고 균형 잡힌 반응을 할 수 있도록 돕습니다.

4.9 꼬리표 : 목표 달성을 방해하는 장애물

꼬리표라는 것은 목표를 이루는데 장애가 되는 부정적인 감정과 신념입니다. 예를 들어, 내가 연봉을 1억을 벌고 싶은데, 이것을 이루려고 거울을 보면서 나 스스로에게 '난 1년에 1억을 번다!' 이런 식으로 확언을 하니 내면에서 이런 소리가 올라오는 것을 알아차립니다.

"근데 나 영업 잘 못하는데 어떡하지?"
"근데 나 인맥이 없는데 어떡하지?"
"근데 나 실력이 없는데 어떡하지?"
"근데 나 학벌이 안좋은데 어떡하지?"

그리고 게으름, 귀찮은, 거부감 등의 감정이 올라올 수 있죠. 이럴 때, EFT는 이런 부정적 감정과 신념을 제거하는데 도움을 줄 수 있습니다. 그 방법은 아래와 같습니다.

일단 가장 두드러지게 느껴지는 부정적 신념이나 감정 하나를 고르고 점수를 매깁니다. 그리고 EFT를 적용해서 0점을 만듭니다. 그 후에 연봉 1억을 달성했을 때의 모습을 구체적으로 시각화하고 그때의 감정을 생생하게 느껴봅니다. 원하는 모습을 생생하게 시각화하고 그때의 감정 또한 생생하게 느낄 수 있다면 이것을 자주 반복하는 것이 핵심입니다.

목표를 확언하기 전에 가지고 있는 내면의 부정적 요소를 EFT로 제거해주는 것도 중요하고, 목표를 이루었다고 상상해봤을 때 내면에서 찜찜하거나 불편하게, 장애물처럼 느껴지는 부정적 요소도 EFT로 반드시 제거해주어야 합니다.

예를 들어, 자신감이 없는 사람인데 연봉 1억을 원한다면, 일단 자신감 없는 것과 관련된 내면의 요소를 EFT로 해소합니다. 그리고 연봉 1억이 달성 됐을 때를 상상해볼 때, 뭔가 불편하거나 찜찜한 감정이 올라온다면, 그 감정도 EFT로 다뤄줘야 합니다.

예를 들어, "내가 1억을 벌어도 사람들이 나를 질투할 것 같아"라는 감정이 올라올 수 있습니다. 이런 감정이 목표 달성의 장애물로 작용할 수 있기 때문에 EFT를 통해 이 감정을 탭핑하면서 "비록 내가 사람들이 나를 질투할까 봐 두려움을 느끼지만, 나는 나 자신을 깊이 받아들인다"라고 수용확언을 설정합니다. EFT 탭핑을 지속적으로 하다 보면, 이러한 부정적인 감정들이 점차 해소될 것입니다.

그리하여 내면에 꼬리표가 느껴지지 않고, 목표를 이룬 모습과 감정이 생생하게 느껴지고 그 목표를 누리는 것이 당연하다고 내면에서 느껴지면 현실화 되는 것이 머지않았음을 뜻합니다. 핵심은 '내면에 안된다는 마음만 없으면 일은 되어진다'라는 것입니다. 대부분의 끌어당김을 하는 사람들은 꼬리표는 안다루고 시각화만 해서 효과를 못 보지 못하는 경우가 많습니다. 꼬리표 지우기, 시각화, 이루었을 때 긍정적인 감정 느끼기를 꾸준히 해주어 무의식을 변화시켜야 합니다.

4.10 긍정 확언 : 목표 달성을 돕는 촉매제

긍정확언은 자신이 원하는 삶, 사람, 신념, 감정, 능력, 행동, 환경 등에 대한 내용을 담고 있습니다.

긍정확언의 특징은 다음과 같아야 합니다.

첫 째, 현재형으로 만듭니다. '무엇무엇 할 것이다'와 같은 미래형이나, '무엇무엇 하면'과 같은 조건형으로 만들지 않습니다. 체중 감량이 목표라면, '나는 50kg의 나를 선택합니다' 이렇게 합니다. '50kg이 되는 것을 선택합니다'는 현재 내가 그렇지 않다는 의미를 담고있으므로 적절치 않습니다.

둘 째, 긍정적 표현을 사용합니다. '나는 70kg이 되지 않는 것을 선택합니다'대신 첫 번째와 같은 확언을 선택합니다. 왜냐하면, 우리의 의식은 긍정과 부정을 구분하지 못하기 때문입니다. 우리가 빨간 사과 생각하지 마세요라는 말을 들으면 빨간 사과를 생각하게 되고 마음에 심어져 현실로 나타나는 길을 열게되는 겁니다. 그렇기 때문에 부정적 표현 대신 긍정적 표현을 사용하세요.

셋 째, 내가 진짜로 원하는 것을 확언으로 만드세요. 남의 눈에 잘보이고 싶어서 내면의 진실한 목소리를 무시하지 마세요. 저는 고등학생때 법조인, 회계사가 되고 싶었지만, 나중에 시간이 지나서 봤을 때, 내가 진짜로 원했다고 생각했던 목표들이 사실은 타인을 의식하는데서 비롯된 목표임을 깨달았습니다. 내가 진짜로 원하는 것이 아니면 무의식에서 저항할 수 있습니다.

넷 째, 구체적으로 확언을 만드세요. 단순히 부자가 되고 싶다가 아니라 부자인 삶을 살면 아침에 일어났을 때부터 자기 전까지 어떤 생활을 할지 일상 생활, 일, 직업, 인간관계 등의 분야까지 세세하게 상상해보며 그때의 이미지, 감정, 생각 등을 생생하고 구체적으로 상상해보고 확언을 만드세요.

다섯 째, 현실적인 것을 목표로 잡으세요. 이 말은 확언이 현재의 신념 체계와 어느 정도 일치해야 한다는 것을 의미합니다. 너무 큰 괴리가 있는 확언은 잠재의식이 그것을 받아들이지 못할 수 있기 때문에, 점진적인 변화에 초점을 맞추어 신념 체계를 조금씩 변화시키는 것이 중요합니다.

예를 들면, 연봉 3000만원인 사람이 1년 내에 연봉 1000억의 자산가가 되겠다 이런 허황된 목표는 무의식에서 받아들이지 않습니다. 이보다는 1년 내에 연봉 6000만원이 되겠다는 등의 현실적으로 납득이 갈 수 있는 목표를 잡으세요. 이때, 왠지 가능할 것 같은데, 정확한 방법은 모르겠다면 그건 괜찮습니다. 이렇게 수용확언을 하면 잠재의식이 그 방법을 알아서 발견합니다.

'비록 나는 어떻게 현재 연봉에서 1년뒤 연봉 6천만원이 될지 그 방법을 알지는 못하지만, 이런 내 자신을 마음속 깊이 받아들이고 믿습니다(믿기로 선택합니다)'

긍정확언의 예는 다음과 같습니다.

-비록 나는 직장 상사 앞이라도 평온함을 느끼고 할 말은 하는 내 자신을 선택합니다.
-비록 나는 많은 사람들 앞이더라도 편안하고 자유롭게 말하는 내 자신을 선택합니다.

-비록 지금 경제 상황이 너무 좋지 않아서 절망적이지만, 나는 내가 할 수 있는 일들을 하면서 마음의 평온함을 찾는 것을 선택합니다.

-비록 나는 이 상황에서 무엇을 해야 할지 모르겠지만, 해결책을 마련하고 그것을 실천할 것을 선택합니다.

-비록 나는 이 힘든 상황이 언제 끝날지 알 수 없지만, 해 뜨기 전이 가장 어둡다는 말을 마음에 새기고 하나님의 인도함을 선택합니다.

-비록 내 자신이 지금의 이러이러한 모습이더라도 이런 내 자신을 마음속 깊이 진심으로 받아들입니다.

-비록 지금은 나 스스로를 받아들일 수 없지만, 이렇게 받아들이지 못하는 내 자신도 이제는 받아들이길 선택합니다.

-비록 이러이러 하지만, 나는 이런 내면의 모든 부정적인 감정들, 두려움, 죄책감, 슬픔, 긴장 등을 내려놓길 선택합니다.

-비록 이러이러 하지만, 나는 나를 제약하는 이런 믿음들을 내려놓길 선택합니다.

-비록 나는 그 놈을 용서하고 싶지 않고 복수하고 싶지만, 이런 내 마음을 있는 그대로 이해하고 받아들입니다.

긍정확언을 일상에 도입할 때는 다음 3가지 중요사항

1)반복
긍정 확언은 지속적이고 반복적으로 행해져야 효과를 볼 수 있습니다. 잠재의식이 새롭게 프로그래밍되기 위해서는 지속적인 노출이 필요하므로, 일상에서 꾸준히 확언을 반복하는 것이 중요합니다.

2)실천

긍정 확언은 단순한 언어적 표현에 그치는 것이 아니라, 행동으로 이어져야 합니다. 확언을 하고 나서 그에 맞는 행동을 취함으로써 더 큰 효과를 얻을 수 있습니다. 예를 들어, 건강을 목표로 한 확언을 했다면, 실제로 건강한 생활 습관을 실천하는 것이 중요합니다.

3)꼬리표 제거

긍정 확언은 의식적, 무의식적으로 일관되게 유지되어야 합니다. 무의식에서 확언의 반대되는 생각이 떠오를 때, 그것을 EFT로 해소해줍니다.

긍정확언을 이용해 목표를 이루는 과정

이상과 현실 사이의 괴리가 있을 때 긍정확언을 이용해 목표를 이루는 방법입니다.

1)이루고 싶은 목표를 생각하고 이걸 긍정확언으로 만듭니다.

2)긍정확언에 따라붙는 꼬리표를 EFT로 해소합니다.

EFT를 하는 과정에서 긍정 확언은 부정적 감정 또는 신념이 3점 이하로 떨어졌을 때부터 조금씩 사용하는 게 효과적입니다. 새 도화지에 그림을 그려야 하는 것과 같은 이치입니다. 부정성이 너무 많이 느껴질 때 긍정확언을 하면 잘 안먹힙니다. 내면에 저항이 세기 때문입니다.

연상어구를 말할 때 부정적 어구(난 ~ 때문에 안될거야)만 말하다가 부정적인 것이 어느정도 해소되면(3점 이하) 부정적, 긍정적

어구(난 잘할 수 있어) 번갈아 사용하고 1점 이하가 되면 긍정적 어구만 사용할 수 있습니다.

최종적으로는 목표를 달성 했을 때의 기분과 이미지를 상상해보고 이것이 100% 가능하다고 느껴지고 믿어질 때까지 내면의 부정적인 것들을 해소하는 것입니다.

세 번째, 일상에서 틈틈이 목표 달성 시의 구체적인 이미지와 기분을 느껴줍니다.

이렇게 하면 자동적으로 목표 달성에 필요한 요소들을 잠재의식이 삶에서 끌어당깁니다. 그래서 현실에서 우연하게 어떤 좋은 기회를 발견하거나 얻게되는 형식으로, 일들의 아구가 착착 맞아가는 형식으로 막히는 느낌없이 일이 순조롭게 진행되는 것을 발견하게 됩니다.

정리하면 긍정 확언을 이용한 EFT 예시는 다음과 같습니다.

1단계 : 비록 나는 ~하지만,
2단계 : 이런 내 자신을 마음속 깊이 진심으로 이해/용서/받아들임/사랑/믿음/감사/내려놓음 합니다.
3단계 : 이제부터는 '긍정적인 자질 또는 본인이 바라는 모습을 한' 나를 선택합니다.

4.11 통증 다루기 - 통증 따라가기

EFT로 통증을 다룰 때 쓰이는, 통증 따라가기 기법입니다.

EFT는 통증에 대해 심신의학적 관점과 비슷한 '통증은 심리적 문제의 발현이다'라는 관점을 가지고 있습니다. 따라서 통증이 있을 때 통증과 연관된 부정적 감정과 신념을 구체적으로 파악해 EFT를 적용 합니다. 이때 특히, 양상의 변화를 기민하게 파악하는게 중요합니다.

통증을 다룰 때는 통증의 물리적 특징, 통증에 대한 나의 생각, 감정 그리고 통증과 연관된 안좋은 기억을 고려하여 EFT해줍니다. 통증의 물리적 특징을 주제로 EFT를 해줬는데 효과가 뚜렷하지 않다면 그 통증과 관련된 내 생각, 감정을 다루어 주고 그래도 효과가 없다면, 통증이 시작될 때부터 최대 2년 전까지 있었던 스트레스 상황을 찾은 후 EFT로 정화해줍니다.

통증의 물리적 특징을 기준으로 EFT할 때, 통증 따라가기 기법을 쓸 수 있습니다.

첫 번째, 통증의 물리적 특징을 구체적 파악합니다.
물리적 특징은 통증이 어느 부위에서 느껴지는지, 10점 만점 중에 몇 점 정도 느껴지는지, 어떤 상황에서 아픈지, 어떻게 아픈지, 아픈 부위가 얼마나 큰지 등을 의미합니다.

수용 확언을 만들어 보면 다음과 같습니다.
'비록 일어나서 허리를 앞으로 숙이면 허리 아랫부분의 손바닥 크기만한 부위가 8점정도 욱신거리고 신경쓰이지만, 이런 나를

마음속 깊이 완전히 이해하고 받아들입니다.'
'비록 허리를 뒤로 젖힐 때 오른쪽 허벅지 부분이 5점정도 찌릿찌릿하지만, 이런 나를 마음속 깊이 완전히 이해하고 받아들입니다.'
'비록 걸을 때 발바닥의 뒷꿈치 부분이 쿡쿡 찌르는 것처럼 3점정도 아프지만, 이런 나를 마음속 깊이 완전히 이해하고 받아들입니다.'

두 번째, 이렇게 수용확언을 실시 한 뒤 연속 두드리기 2라운드와 쇄골호흡을 거친 후 확인해보면, 통증의 양상이 바뀌는 것을 확인할 수 있습니다. 통증의 강도가 줄어들거나, 통증이 느껴지는 부위가 변화하거나, 통증이 느껴지는 상황 등이 바뀔 수 있습니다.

세 번째, 바뀐 양상을 적용해 통증이 0점이 될 때까지 계속 EFT를 해나갑니다. 점수가 일정 수준 이하로 줄어들지 않으면, 이 통증과 관련된 부정적인 감정과 생각을 파악해 진행합니다.

예를 들어, 다음과 같이 구체적으로 문장을 만들어 줍니다.
'비록 나는 허리가 계속 아파 일도 제대로 못하고 돈도 지금처럼 계속 못벌면 길거리에 나앉아 굶고 병들고 아파 죽을까봐 너무나 두렵지만, 이런 나를 마음속 깊이 완전히 이해하고 받아들입니다'

이렇게 생각과 감정을 넣어서 하면 점수가 또 일정부분 줄어들 수 있습니다.

네 번째, 이렇게 해도 안 될 경우는 이런 통증이 시작되기 2주에서 최대 2년 전까지 있었던 일들 중 스트레스가 되었던 사건을 떠올려보고 그 기억을 정화해줍니다. 그 기억을 정화해준다는 말은 그 기억을 떠올렸을 때 어떠한 부정적인 감정과 신념이 느껴지지 않을 정도로 그 기억과 관련된 감정과 생각을 해소해준다는 얘기입니다. 이렇게 해줄 때 통증이 사라지거나 완화될 수 있습니다.

다섯 번째, 이렇게까지 해줬는데 일정 점수 아래로 안떨어진다면, 6세 이전의 트라우마 또는 태아기 트라우마를 다루어 주어야 합니다. 태아기, 영유아기, 소아기때는 기억이 잘 안나는데 어떻게 이 시기의 트라우마를 다룰 수 있느냐고 말씀하실 수 있는데, 이 때 느꼈던 감정은 내 무의식 속에 다 각인이 이미 되어있기 때문에, 이 때를 상상해보고 그 상상한 상황 속에서 느껴지는 나 그리고 관련 인물들의 부정적 감정과 생각을 모두 EFT로 정화해줍니다. 그리고 EFT를 하다보면 저절로 관련된 기억이미지, 생각, 느낌 등이 떠오르기도 합니다. 그러니 그렇게 불현 듯 떠오른 힌트를 가지고 EFT를 해나가면 됩니다. 태아기 트라우마의 경우 4.13에서 구체적으로 다루겠습니다.

여섯 번째, 태아기, 영유아기, 소아기 트라우마까지 다루어줬는데 효과가 없다면 과거 전생의 업보로 인한 병일 수 있으니 업장 소멸 기도를 해야 합니다. 이것과 관련해서는 유튜브에서 '광우스님의 소나무' 채널 영상 시청을 추천드리며, 제 개인적으로는 금강경 독송 또는 사경, 관세음보살 염불 등을 추천드리고 있습니다. 금강경 기도는 제 블로그의 자가치유방법 공지글을 참고해주시기 바랍니다.

한 가지 주의하실 점은 기도를 한다고 EFT 정화 과정을 그만두시면 안되고, 기도, EFT, 의학적인 처치 등을 병행하셔야 합니다.

EFT는 모든 통증에 대한 만병 통치약이 아닙니다.

통증에 대한 EFT의 의의는 신체적 통증에 의학적 원인 20%, 감정적 원인 80%가 있다고 가정하면, EFT를 통해 감정적 원인을 해소하여 불필요한 의학적 처치를 받지 않게 된다는 것입니다. 예를 들어, 만약 통증의 강도가 10점이면 수술을 해야하는데, EFT를 통해 감정적 원인 80%를 제거하고 통증 강도가 2점이 됐다면 굳이 수술이 아닌 약이나 운동으로 해결할 수 있게 되어 과잉 처치를 하지 않을 수 있게 되는 것이죠. 나머지 의학적 원인 20%로 인한 통증은 의학적 처치를 통해서 해결하면 되겠습니다.

4.12 통증 다루기 - 바디스캔과 의인화

EFT로 통증을 다룰 때 쓰이는, 바디스캔과 의인화 기법입니다.

바디스캔은 우리가 몸에 주의를 기울여 통증의 특성을 파악하는 것이고 의인화는 파악한 통증의 특성을 바탕으로 그 통증을 하나의 사람으로 대상화 하는 것입니다. 이렇게 의인화한 통증의 감정과 신념 등을 파악해 EFT를 적용합니다.

바디스캔은 투사의 빛 또는 마음의 눈을 이용해 신체의 불편한 부위를 본다고 상상하는 것입니다. 느껴지는 통증의 특성을 위치, 모양, 크기, 색깔, 질감, 소리 등의 요인을 고려해 파악합니다. 이렇게 통증의 특성을 파악하는 이유는 EFT 과정에서 양상 변화 파악에 효과적이기 때문입니다.

시각적으로 생각해볼 때, 통증이 우리 몸 어디에서 느껴지는지,(정수리, 이마, 뒷통수, 관자놀이, 어깨, 목, 가슴, 명치, 손, 발 등) 모양(원, 원통, 세모, 네모, 마름모 등)은 어떤지, 크기(농구공, 퍼져 있는, 배, 사과, 탁구공, 야구공, 구슬, 쌀알 등)는 어떤지, 색깔(검정, 회색, 빨강, 파랑, 초록, 흰색 등)이 있다면 어떻게 느껴지는지, 질감(거칠, 딱딱, 매끈, 흐물 등)은 어떤지 등을 확인합니다.

EFT를 해나가면 감정이 해소될수록 양상이 변한다고 앞에서 말씀드렸는데, 이는 통증이 느껴지는 위치, 색깔, 크기, 모양 등이 바뀌고, 통증과 관련된 새로운 생각, 감정이 떠오를 수 있다는 것을 의미합니다. 이런 양상의 변화가 나타나면 '아, 지금 EFT가 잘 작동하고 있구나' 이렇게 이해하시면 됩니다.

바디스캔을 통해 통증의 특성을 파악했다면, 이제 통증을 의인화하여 EFT를 시작합니다.

통증이 만약 우리에게 하고 싶은 말이 있다면 무엇일까요?
통증이 말을 할 줄 안다면 나에게 무슨 말을 할 것 같나요?
통증이 감정을 느끼고 생각할 수 있다면 어떻게 느끼고 생각할 것 같나요?
이 통증이 내 인생에 갖는 의미는 무엇일까요?
이 통증이 나에게 갖는 교훈이 있다면 무엇일까요?

위와 같은 질문을 통해 통증이 하나의 존재라면 뭐라고 생각하고 느낄지, 우리에게 하고 싶은 말은 무엇일지 파악해보는 것입니다. 이렇게 파악한 내용에 우리의 무의식(깊은 마음)이 다 묻어납니다.

잠시 통증 의인화의 주제에서 벗어나 심신 상관성에 대해 살펴보겠습니다.

정수리, 쇄골, 손날 등을 주로 두드리면서 위의 질문들을 바탕으로 내면을 탐색하는데 은유적, 상징적 표현에 주목해야 할 필요가 있습니다. 예를 들면, 허리, 어깨의 통증은 삶의 무게를 뜻할 수 있죠. 삶이 너무 버겁다는 것입니다. 따라서 허리의 통증은 삶에 대한 부담감이나 욕심을 덜고 편안하게 살아가라는 신호일 수 있습니다.

신체의 통증이 감정적, 정신적 상태와 연결되어 있다고 보는 관점은 많은 심리치료 및 대체 의학에서 중요하게 다루어집니다. 이는 심신 상관성(mind-body connection)을 설명하는데, 신체의 통증이 삶에서 해결되지 않은 감정적 갈등이나 스트레스를 나타낼 수 있다는 것이죠. 다음은 일반적으로 신체 부위별 통증이 나타낼 수 있는 감정적, 정신적 의미를 사례로 들어 설명한 것입니다.

1) 목 통증

의미: 유연함의 부족, 고집스러움, 용서를 못하는 마음.

사례: 목이 자주 아픈 사람은 주변 상황에 대한 고정관념을 고수하거나 타인에 대한 용서가 힘들 수 있습니다. "다른 사람의 입장을 받아들이는 것이 어려운 상황"에서 목의 긴장이 더해질 수 있습니다.

2) 어깨 통증

의미: 책임감, 무거운 짐을 짊어지고 있다는 느낌.

사례: 어깨 통증이 있는 사람은 많은 부담을 혼자 짊어지거나, 타인으로부터 지나친 책임감을 느끼는 상황에 처해 있을 수 있습니다. 예를 들면, 직장에서의 압박이나 가정 내에서의 의무가 크게 작용할 수 있습니다.

3) 허리 통증 (특히 하부 허리)

의미: 재정적 걱정, 안전감 부족.

사례: 하부 허리 통증은 종종 재정적 스트레스나 불안과 연결됩니다. "돈에 대한 걱정이나 미래의 불확실성"이 커질수록 허리 통증

이 심해질 수 있습니다.

4) 무릎 통증

의미: 자존심과 연관된 문제, 유연성 부족.

사례: 무릎이 아프다면 자존심이 상하거나, 권위에 대한 도전, 겸손함의 부족이 원인일 수 있습니다. "자신을 너무 높은 위치에 두고 타인과의 관계에서 유연하지 못할 때" 무릎에 문제가 생길 수 있습니다.

5) 손목 통증

의미: 자유와 연결된 문제, 통제에 대한 욕구.

사례: 손목의 통증은 삶에서 자유롭지 못하다는 느낌, 통제를 해야 한다는 압박감과 관련이 있습니다. "스스로 삶의 통제권을 잡지 못하고 있다고 느낄 때" 손목에 통증이 생길 수 있습니다.

6) 발 통증

의미: 삶의 방향성, 뿌리 내리는 것에 대한 불안.

사례: 발이 자주 아프면 삶의 방향에 대한 불확실성, 자신이 제대로 뿌리내리지 못하고 있다는 불안을 나타낼 수 있습니다. "진로에 대한 걱정이나 삶의 기반에 대한 불확실성"과 연관될 수 있습니다.

이러한 신체 통증에 대한 해석은 일반적인 가이드라인일 뿐이며, 개인마다 다르게 적용될 수 있습니다. 중요한 점은 신체적 통증이 단순히 육체적 문제가 아니라 감정적, 정신적 문제와도 연결될 수 있다는 점을 인식하고, 그 원인을 다각적으로 이해하고 접근하는 것입니다.

제 경험상 신체적 통증은 분노, 두려움, 죄책감의 감정과 긴밀하게 연관되어있습니다. 따라서 신체적 통증이 있다면, 내가 무엇에 대해 분노(용서하지 못함), 두려움, 죄책감(내가 무언가를 잘못했음)을 품고 있는지 깊이 살펴보는 것이 좋습니다.

다시 통증 의인화의 주제로 돌아오겠습니다. 통증의 은유적, 상징적 표현에 주목해서 내 마음을 탐색해 볼 수 있고 '이 통증이 언제부터 내 몸속에 있었을까'와 같이 통증이 처음 시작된 때를 찾기 위한 질문도 할 수 있습니다.

어느 질문이든 본인에게 끌리는 것을 먼저 시도해보세요. 통증의 파악하고 의인화하는 것의 핵심은 이렇게 통증과 대화한다고 상상하면서 부정적인 감정과 신념 그리고 이것들의 형성에 영향을 미친 사건을 파악하고 EFT로 해소하며, 통증의 긍정적 의도와 교훈을 찾아 마음속에 새기는 것입니다.

참고로 통증의 의도와 교훈은 통증 점수가 3점 이하로 떨어졌을 때 수용확언이나 연상어구 포함시켜줍니다.

EFT로 통증의 점수를 3점 이하로 낮추었을 때, 아픈 부위에게 다음과 같이 물어보는 상상을 할 수 있습니다. 이 사람이 통증의 궁극적 의도 또는 목적을 만족시킨다면, 통증을 일으키는 대신 긍정적인 다른 일을 해볼 의사가 있는지를요. 만약 이 사람이 돈이나 명예 등에 대한 집착을 내려놓고 삶을 더 느긋하게, 가족을 위해서 산다면 아픈 부위가 통증을 일으키는 대신 이제 어떤 새로운 역할을 해줄 수 있는지 묻는 것이죠. 그러면 아픈 부위는 이제 이 사람이 새로운 삶을 살 수 있도록 새로운 역할을 약속할 수도 있습니다.

그렇게 아픈 부위와 협상이 끝난 뒤에는 그 부위의 마음을 느껴보고 조금이라도 찜찜하거나 불편한 마음이 없는지 확인합니다. 있으면 해소해줍니다. 또한, 가까운 미래에 새로운 역할을 하는 신체 부위의 이미지와 그 부위의 감정을 생생하게 상상해봅니다. 문제가 해소되는 방향으로 가려면 인격화된 신체부위의 마음을 느껴보았을 때 편안함이 느껴져야 합니다. 뭔가 조금이라도 찜찜하거나 불편하거나 부정적인게 느껴진다면 해소해줘야 합니다.

4.13 태아기 트라우마

1. 태아기 트라우마란 무엇인가?

태아기 트라우마는 태아 시기에 겪은 심리적, 정서적 상처로, 이는 인간의 성격 형성과 다양한 심리적, 신체적 질환에 큰 영향을 미치는 중요한 요소입니다. 심신의학에서는 많은 질병의 원인을 억눌린 감정에서 찾으며, 특히 가장 깊이 억압된 감정은 태아 시기에서 비롯된다고 봅니다. 연구와 논문에 따르면, 태아기 트라우마는 성격 구조와 심리적 건강에 깊은 영향을 미치는 것으로 밝혀졌습니다.

태아기 경험은 성격, 자아상, 그리고 심리적 경향의 기본 틀을 형성하는 데 기여합니다. 자유연상, 꿈 분석, 최면, EFT와 같은 무의식에 접근하는 방법 등을 통해 태아기 경험들이 드러날 수 있습니다. 많은 임상 심리학자들과 정신과 의사들은 태아기 트라우마가 성인기의 심리적 문제뿐만 아니라 암, 당뇨병, 심장병 등과 같은 신체적 질환에도 영향을 미친다고 보고 있습니다. 특히 태아가 엄마의 뱃속에서 겪은 경험이나 출산 과정에서의 트라우마는 인간의 심리 구조에 큰 영향을 미치는 것으로 알려져 있습니다.

태아 심리학의 핵심 개념은 의식이 신경계보다 먼저 존재한다는 점에 있습니다. 태아는 어느 순간 스스로의 존재를 인식하게 되고, 이 경험은 무의식에 기록되어 출생 이후에도 평생 심리적 및 신체적 건강에 영향을 미칩니다. 억눌린 감정은 신체적 질환으로 나타날 수 있으며, 태아기의 상처는 다양한 심리적 및 신체적 문제와 관련이 있습니다.

출생 후에도 엄마 뱃속에서 겪은 트라우마를 치유하는 것은 가능하며, 이러한 치유를 통해 그 영향을 벗어날 수 있습니다. 태아기 기억을 해결하면 인체의 강력한 자가 치유 효과가 나타나며, 이는 심각한 신체적 및 심리적 문제를 극복하는 데 도움을 줄 수 있습니다.

2. 태아기 경험이 핵심 감정과 신념의 형성에 미치는 영향

태아기의 경험은 개인의 핵심 감정과 신념(자아상, 인간관, 세계관, 인생관 등)의 형성에 중요한 영향을 미칩니다. 이러한 신념 체계들은 개인의 감정과 행동에 밀접한 관련이 있기 때문에, 태아기 때의 경험 별로 어떠한 핵심 감정과 신념을 가지게 될 수 있는지 살펴보겠습니다.

다시 한 번 기억해야 할 사실은, 태아기 때부터 자아가 형성되기 시작하는 3세 이전까지 아이는 주양육자(주로 엄마)의 마음을 그대로 다운로드 받는 다는 것입니다. 엄마가 부처 수준이 되어서 주변 환경에 영향을 받지 않고 마음이 여여하고 평온하다면 아이의 심성은 바르게(평온하게) 형성됩니다. 하지만 어머니들은 완벽한 존재가 아니고, 주변 환경(남편, 시부모 등)에 영향을 받아 심리가 불안했을 확률이 큽니다.

출산 위기 생존자는 태아기 때 낙태가 고려되었던 상황을 겪은 경우로, 이들은 자라면서 무력감과 버림받음에 대한 두려움을 느끼며, 관계에서 신뢰를 쌓는 데 어려움을 겪을 수 있습니다. 이는 자존감에 상처를 주고 반복적인 불안과 고립감을 초래할 수 있습니다.

유산 후 출생자는 형제나 자매가 유산된 후 태어난 경우로, 자신의 존재에 대해 죄책감을 느낄 수 있습니다. 이들은 무의식적으로 '살아있을 자격이 없다'는 신념을 가질 수 있으며, 이는 자존감 저하와 자살 충동으로 이어질 가능성이 있습니다.

부모나 조부모가 아들을 원했는데 딸로 태어났거나 형제가 많은 집안에서 태어남으로써 거부당하거나 충분한 관심을 받지 못한 자녀는 자신이 가족의 기대와 달리 태어났다고 느끼며, 자신을 부족하고 불필요한 존재로 여길 수 있습니다. 이러한 생각은 성인이 된 후에도 인간관계에서 불안감과 낮은 자존감으로 이어질 수 있습니다.

계획되지 않은 자녀는 자신이 가족에게 부담이 된다는 생각을 하며, '나는 원하지 않은 존재다'라는 부정적인 신념을 내면화하여 낮은 자존감과 관계에서의 불안을 경험할 수 있습니다.

혼외 출생자는 가정 밖에서 태어나 사회적 비난이나 가족 내 환영받지 못하는 경험을 할 수 있으며, 이는 자신이 태어나지 말았어야 했다는 생각을 가지게 하고, 심각한 우울증이나 자살 충동을 유발할 수 있습니다.

늦둥이 자녀는 부모의 나이가 많아진 상태에서 태어나, 부모로부터 충분한 관심을 받지 못했다고 느낄 수 있습니다. 이들은 '나는 부모에게 부담이다'라는 생각을 가지고, 이는 자존감 문제로 이어질 수 있으며, 성인이 되어서도 과도한 인정 욕구를 가질 수 있습니다.

난산 경험 자녀는 출산 과정에서의 고통과 충격으로 인해 '세상은 위험하다'라는 신념을 가질 수 있습니다. 특히 신생아 집중치료를 받은 경우, 이들은 분리 불안을 겪으며 관계에서 불안과 공포를 느낄 수 있습니다.

미숙아 출생자는 조산으로 인해 엄마와의 첫 순간부터 분리를 경험하며, '나는 버려졌다'라는 감정을 가질 수 있습니다. 이러한 분리 경험은 성인 이후에도 외로움과 불안을 유발하고, 인간관계에서 신뢰 문제를 야기할 수 있습니다.

결론적으로, 태아기 경험은 개인의 감정과 신념을 형성하는 중요한 시기로, 부정적인 태아기 경험은 '나는 충분하지 않다', '나는 소중하지 않다' 또는 '세상은 위험하다'는 등의 부정적인 신념을 형성하게 할 확률이 높습니다.

3. 태아기 트라우마 치유하기

태아기 트라우마는 주로 무의식 속에 남아 있어 쉽게 인식되지 않지만, EFT를 통해 이를 치유할 수 있습니다. 실제로 치유를 할 때 주요 타점을 두드리면서 핵심 감정에 집중하면 태아기 때를 어렴풋이 떠올릴 때도 있으나 떠오르지 않는 경우에는 태아기 때를 상상하여 치유하면 됩니다. 왜냐하면 우리가 하는 상상에는 우리의 무의식이 그대로 묻어나기 때문입니다.

실제로 상담 경험을 되짚어 볼 때, 행복한 태아기 또는 유년기를 보낸 사람에게 어린 시절을 상상해보라고 하면 아이가 웃고있고, 어머니는 자신에게 관심과 사랑을 주며 화목한 이미지와 행복한 감정을 떠올려 느낄 수 있습니다. 하지만, 불행한 태아기 또는 유년기를 보낸 사람의 경우, 어린 시절 아이의 표정이 어둡고, 어머니는 자신에게 관심이 없고 외롭고, 슬픈 이미지와 감정을 떠올립니다. 그래서 태아기 때를 의식상으로 떠올리기 어려운 분들은 이완 후 태아기 때를 적극적으로 상상해서 부정적으로 느껴지는 이미지, 생각, 감정, 오감 등에 EFT를 적용하면 됩니다.

또 한가지 주의할 점은 태아와 산모 외의 가족의 마음을 먼저 해소하고, 산모 마지막으로 태아 순으로 감정을 해소해줍니다. 이렇게 해야 치유가 효과적으로 신속하게 되는 경향이 있습니다. 이는 제 상담 경험을 바탕으로 한 것으로, 간략하게 그 이유를 말씀드리면, 산모의 마음이 불편한 채로 있으면 태아의 마음이 쉽게 해소되지 않기 때문에 그렇습니다. 반면, 주변 가족의 마음을 정화하고, 산모의 마음을 정화한 뒤 태아의 마음을 정화하면 그 반대로 할 때보다 치유 속도가 빠릅니다.

태아기 트라우마 치유 과정은 크게 세 단계로 나뉩니다.

1)태아의 트라우마 치유

태아가 자궁에서 겪었던 트라우마를 치유하기 위해서는, 산모가 임신했을 당시의 상황을 떠올리고, 산모의 모습을 떠올리고 그 뒤 태아의 모습을 떠올립니다(상상합니다). 그리고 내가 태아가 되었다고 상상하고 그때 느꼈던 감정과 생각을 파악한뒤 불편하게 느껴지는 이미지, 생각, 감정, 오감 등을 EFT 기법을 활용해 해소합니다.

2)산모의 트라우마 치유

태아의 트라우마는 산모의 정서적 상태와 밀접하게 연결되어 있습니다. 산모가 임신 중에 겪었던 스트레스와 감정을 파악한 뒤, EFT를 통해 산모의 트라우마를 치유하면, 태아의 무의식에 남아 있는 상처도 함께 치유될 수 있습니다. 산모의 감정이 태아에게 전달되기 때문에, 이 과정은 매우 중요합니다.

아까 말씀드린대로, 실제 상담을 해보면 태아나 산모뿐만 아니라 아버지, 조부모, 외조부모, 친척 등까지 태아기 트라우마의 형성에 영향을 미치는 경우를 목격하게 됩니다. 예를 들면, 할머니가 엄마가 딸인 저를 임신했다고 구박한다던지, 아빠가(남편이) 일하느라 엄마에게 무관심하거나 엄마를 구박한다던지 하는 경우 할머니 또는 아빠(남편)의 마음을 해소해야 태아 또는 엄마의 마음이 편안해지는 경우가 있습니다.

어머니가 나를 임신할 당시 그들(할머니 또는 아버지)과 상호작용 했고 그들의 반응에 어머니가 스트레스를 받았고 그 스트레스가 그대로 태아였던 나에게 전이가 된것이기 때문에, 그들의 마음, 어머니의 마음이 이제는 내 마음속에 있는 것입니다. 하지만, 이런 마음이 결국은 다 내가 해소해야 할 '나의 마음'입니다. 그래서 EFT를 적용할 때 일반적으로 내가 그들의 입장이 되었다고 상상하고 부정적인 감정이나 신념을 해소해나갑니다.

그렇게 태아나 어머니 이외 사람들의 마음이 정화되고 나면 그들의 어머니나 태아를 향한 태도가 누그러지고 긍정적인 양상으로 바뀌는데, 그러면 그들이 어머니가 태아에게 사과하거나 사랑으로 대하는 장면을 상상할 수 있게 되고 그러면 어머니의 마음도 한

결 쉽게 해소할 수 있습니다. 어머니의 마음이 해소되면 태아의 마음도 쉽게 해소되는 것을 상담을 통해 경험했습니다.

3)출생 과정과 직후의 트라우마 치유

출생 과정에서의 난산, 조산, 그리고 인큐베이터에서의 경험은 태아에게 깊은 트라우마로 남을 수 있습니다. EFT를 통해 출생 당시의 경험을 상기(상상)시키고, 그때의 감정들을 해소하는 것이 중요합니다. 출산 중 산모가 겪은 고통과 태아의 어려움은 무의식에 남아 있는 기억으로 작용할 수 있기 때문에, 이를 EFT로 풀어내는 것이 치유에 도움이 됩니다.

주의해야 할 점은 태아기 트라우마를 치유하는 과정에서 강렬한 감정이 나타날 수 있으며, 이로 인해 감정적인 발작을 겪을 가능성이 있습니다. 극도의 공포감, 몸의 경직, 심한 떨림, 구역질, 그리고 죽음에 대한 두려움 등이 그 예입니다. 이러한 증상이 심각할 경우에는 전문가의 도움을 받는 것이 필요합니다.

4.14 그냥 틈틈이 두드리기

두드리는 것만으로도 신체 에너지 순환을 원활하게 해 불면증 완화, 기억력 향상, 퍼포먼스 향상에 도움이 된다고 합니다. 저도 잠이 안오거나 그럴 때 두드리면 얼마 있다가 하품이 나면서 졸음이 몰려옵니다.

4.15 사람 많은 곳에서 EFT 하는 법

대중 교통 같은 곳에서 두드리기를 할 때 눈치가 보일 수 있습니다. 그럴 때는 검지, 중지, 약지(2~4번째 손가락)로 어색하게 느껴지지 않는 부위를 문지릅니다. 두드리지 않아도 괜찮습니다. 문지르거나 두드릴 때는 주로, 눈 밑, 쇄골, 손 부위를 많이 두드려줍니다. 겨드랑이 아래 같은 부위는 공공장소에서 두드리거나 문지르기 좀 이상하겠지요? 참고로 두드릴 때, 깊은 쉼호흡도 같이 해주면 좋고 수용확언이나 연상어구는 마음 속으로 얘기해주면 됩니다.

4.16 용서하기 힘들 때 팁

첫 번째, 내가 미워하는 어떤 사람에 대한 부정적인 감정의 수치가 일정 점수 이하로 안 내려가면, 그 사람의 입장이 되어서 그 사람이 느끼는 부정적인 감정, 생각들에 대해 EFT를 시도해봅니다. 그리고 나서 다시 내가 되어서 잔여 양상들을 다룹니다.

이 방법은 심리치유 기법에서는 빈의자 기법, 역할극 등의 명칭으로 불리는 심리치유 기법을 응용한 것입니다. 원래 빈의자 기법은 내담자가 자신의 입장에서 얘기해보고 또 그 사람 입장이 돼서 얘기해보고 다시 내 입장에서 얘기해보고 이것을 계속 번갈아서 해봄으로써 내면의 묵은 감정과 신념을 해소하는 방법입니다.

그 사람의 마음이라고 생각했던 것들이 사실은 나의 마음이기 때문에 내 이것을 알아차리기 위해 상대 입장이 돼서 마음을 느끼고 표현하는 것이며 EFT를 적용해주는 것입니다.

우리는 흔히 누군가가 나를 미워해서 내가 괴롭다라고 합니다. 하지만 우리가 괴로운 진짜 이유는, 나를 미워하는 그 상대에 대해 내가 미워하는 마음을 품어서입니다. 상대를 미워하는 나의 그 미움의 에너지가 괴로움을 불러오는 것입니다. 상대가 나에게 어떻게 대하든 상대를 이해와 연민, 용서, 자비, 사랑 등의 태도로 대할 수 있다면 상대의 반응에 나는 면역이 되며 내 마음은 평온합니다. 이 말은 정말 사실이기 때문에 한 번 시도해보세요. 이것은 제 경험으로도 정말로 진실입니다. 쉽지는 않겠지만 노력하면 체험으로 알게됩니다.

어쨌든, 위와 같은 원리로 상대가 어떻게 생각하던, 상대가 어떤 일을 나에게 했던, 내가 평온하려면, 내 내면에 있는 부정성만 다루면 되는 것입니다. 예를 들어, 내가 싫어하는 또는 나를 싫어하는 A라는 사람이 있는데, 내가 A의 입장이 되어서 나에 대한 마음을 느껴본다고 합시다. 그러면 나를 미워하고 짜증내고 싫어하고 혐오하는 등의 마음을 느낄 수 있겠죠? 그러면 이 마음을 EFT를 적용해 해소합니다.

상대가 실제로 나를 어떻게 느끼고 있는지 중요한게 아닙니다. 너무 중요해서 다시 한 번 말씀드리면, 상대의 입장이 되었다고 상상했을 때 느껴지는 상대 마음의 그 분노의 마음이 사실은 내 마음이라는 것입니다. 그래서 역할극에서 상대의 마음이라고 생각되는 그 마음을 EFT로 해소하면 나의 마음이 평온해집니다. 그리고 실제로 그 사람을 현실에서 만난다고 해도 그 사람의 반응과 관계없이 내 마음속에 불편함이 안일어 나거나 훨씬 덜하게 일어납니다. 우리는 아직 부처님 수준이 아니니까 덜 일어난다고 표현했습니다.

두 번째, 그 사람이 어린아이의 모습 또는 임종 직전 노쇠한 모습을 상상한 후 그 사람과 만나 느껴지는 내 마음을 다루어 봅니다.

이 방법은 내가 원망하는 그 사람의 겉모습이 아닌 그 사람 마음에 초점을 가게 돕습니다. 나에게 상처를 준 그 당시 그 사람의 마음이 어리석었고, 두려움에 바탕을 두거나 하여 그런 마음 씀씀이를 냈다는 것 등을 통찰하고 이것에 대해 이해, 연민, 자비 등의 마음을 느낄 수 있다는 원리에 바탕을 둔 심리치유 기법입니다.

모든 사람의 각자의 의식수준에서 최선의 선택으로 보이는 것을 택한다는 말이 있습니다. 우리가 어떤 사람이 어리석은 선택을 했다라고 표현할 때도 그 사람의 입장에서 보면 그 순간에 그 사람은 최선의 것으로 보이는 것을 택한 것입니다. 그 어리석은 선택에 바탕을 둔 언행 때문에 내가 화가났다면 아래와 같은 마음가짐으로 용서의 마음을 낼 수 있습니다.

예를 들어, 직장에서 상사에게 불합리한 대우를 받았다고 생각해 봅시다. 상사는 늘 화를 내고 비난을 했고, 그로 인해 마음의 상처를 받았을 수 있습니다. 그러나 상사가 그런 행동을 한 것은 그의 의식 수준에서 그 순간에 최선이라고 여겼던 방식일 수 있습니다. 상사도 자신의 불안, 스트레스, 혹은 상처받은 자아 때문에 그런 선택을 했을 가능성이 높습니다. 그는 그것이 잘못된 방식일지라도, 그의 입장에서는 그 순간에 상황을 통제하고 자신의 위치를 지키기 위해 그 방법이 최선이라고 판단했을 것입니다.

이렇게 그의 행동을 그의 의식 수준에서 바라보면, 그가 나쁘거나 악의적으로 행동한 것이 아니라, 자신의 능력과 의식 한계 안에서 나름대로 최선의 선택을 한 것임을 이해하게 됩니다. 그때 비로소 상사에 대한 원망보다는, 그가 가진 한계와 부족함에 대해 연민을 느끼게 될 수 있습니다. 이런 통찰을 통해 상사의 행동을 이해하고 용서의 마음을 낼 수 있는 기반이 만들어질 수 있습니다.

이 원리는 비단나에게 상처를 준 모든 사람 뿐만 아니라 나 자신에게도 적용할 수 있습니다. 과거의 나 자신도 그 당시 나의 수준에서 최선을 다했다고 바라보면, 나 자신을 이해하고 용서할 수 있는 여유가 생길 수 있습니다.

또 다른, 예를 들어, 어린 시절에 나를 힘들게 했던 친구가 있다고 상상해봅시다. 그 친구는 당시 나에게 상처를 주었지만, 이제 그의 어린아이 모습을 상상하면서 그가 그 당시 자신의 불안이나 두려움 속에서 그런 행동을 했을 것이라고 생각해봅니다. 그는 나처럼 감정적으로 미성숙했고, 그 때문에 나에게 불쾌한 행동을 했던 것입니다. 이 상황에서 그가 느꼈을 불안감이나 자기방어의 필요를 상상하면, 그가 나에게 가졌던 의도는 나를 상처 주려는 악의가 아니라 그저 자기 자신을 보호하려는 것일 수 있음을 깨닫게 됩니다.

이렇게 그 친구의 입장을 이해하고 그의 감정적 어려움에 대한 연민을 느끼면, 자연스럽게 마음속에 쌓인 원망이 조금씩 녹아내리기 시작할 수 있습니다.

세 번째, 나의 임종 직전이라고 생각해보고 그 사람과의 일 그리고 그 사람에 대해 떠올려 봅니다. 죽기 직전까지 그 사람에 대한 미움을 가져갈 것인지 아니면 이제는 내려놓고 편안해질 것인지 생각해봅니다. 이는 원망하는 마음이 사실 나의 집착이 만들어낸 것이기 때문에 이 집착을 내려놓을 수 있는 좋은 환경인 임종 때가 되어보는 것을 상상함으로써 이해, 연민, 자비 등의 자질을 끌어내기 위한 심리치유 기법입니다.

네 번째, 용서의 의미에 대해 이해하는 것이 도움이 됩니다.

용서라는 것은 내가 가해자라고 생각하는 사람을 잘했다고 인정하거나, 그 사람이 나에게 한 언행을 합리화하거나 용인하는 것이 아닙니다. 심리치유에서 용서의 의미는 내가 원망하는 그 사람을 미워하기를 그만두고 내 마음속에서 내려놓는 것입니다. '그 사람을 미워하는 내 마음이 원망, 짜증, 분노와 같은 부정적인 에너지를 가진 독(poison)으로 작용하여 그 사람이 아니라 나 자신을 끌어내리기 때문에, 이 마음을 계속 가지고 있는 한 나에게만 손해이다. 그 사람을 미워하는 것도 너무 괴롭고 이제는 그만 자유롭고 평화로워 지고싶다'라는 인식을 바탕으로 그 사람을 미워하는 마음을 이제 내려놓겠다고 선택하는 것입니다. 유의할 것은 이렇게 하는 것이 그 사람의 언행을 정당화하지 않는다는 것입니다.

영적인 수준에서 용서의 의미는 사실 잘못이라는 것이 사실 존재하지 않으며 내가 관념으로 지어낸 것이라는 것을 알고 참회하는 것입니다. 내가 잘못이라고 생각한 것들이 사실 일어난 적이 없고, 가해자와 피해자는 없다는 것 그리고 그 일들이 그저 우리 마음의 무지 때문에 일어난 것일 뿐이기 때문에, 어느 한 사람이 다른 한 사람을 용서한다는 것은 그릇된 견해라는 것을 깨닫는 것입니다.

예를 들어, 누군가가 나에게 심하게 상처를 준 경험이 있다고 생각해봅시다. 그때 나는 분명히 피해자로 느껴졌고, 그 사람은 나에게 고의로 상처를 준 가해자처럼 보였습니다. 하지만 영적인 수준에서 바라보면, 그 사건은 사실 나의 마음 속에서 일어난 관념에 불과합니다. 그 사람이 나에게 고의로 해를 끼치려 했다는 생각 자체가 내가 만들어낸 해석일 수 있습니다.

이 관점에서 보면, 그 사람이 한 행동은 그의 의식 수준과 무지에서 비롯된 것이며, 나 역시 그 사건을 해석하는 과정에서 내 마음의 무지로 인해 고통을 경험한 것임을 깨달을 수 있습니다. 즉, 그 사람과 나 모두가 각자의 무지 속에서 상호작용한 결과일 뿐, 본질적으로 가해자와 피해자가 따로 존재하지 않는다는 것입니다.

이렇게 사건을 바라보면, 내가 용서해야 할 대상은 사실 외부의 누군가가 아니라, 내 마음 속에서 생겨난 잘못된 믿음과 고정관념이라는 것을 깨닫게 됩니다. 그 깨달음을 통해 "용서"는 상대방을 단순히 이해하는 것이 아니라, 내가 스스로 만들어낸 고통과 분노를 내려놓는 과정이라는 것을 알게 됩니다.

그러나 이것은 아주 깊은 수준의 용서이기 때문에 부정적 감정과 신념이 있다면 이를 받아들이기 어려울 수 있습니다. 그래서 일단 지금은 위에서 말한 용서, 그 사람을 내 마음 밖으로 내보내는 것 즉, 미워하는 것이 나에게 해롭기 때문에 그 일과 그 사람을 내려놓고 증오와 분노를 멈추는 것 수준에서 용서의 의미를 다룰 수 있겠습니다. 일단은 이렇게만 해도 훌륭합니다.

그런데 영적인 의미에서 용서를 실천하기 위해서는 다음 3가지를 알고 체화시키는 것이 도움이 됩니다.

첫 째, 우리의 본질이 몸, 마음 넘어에 있어 상처받을 수 없다는 것.

둘 째, 인간으로서 우리 모두는 그 순간 자신의 의식수준에 따라 생각하고 행동한다는 것.

셋 째, 자신이 겪는 모든 일들이 과거에 자신이 지은 인연에 따라 일어난다는 것.

예를 들어, 누군가 나를 밀쳐서 허리를 다쳤다면 다음과 같은 마음으로 원망, 분노, 한탄 등의 괴로움을 벗어날 수 있습니다.

첫 번째, 우리의 본질은 몸과 마음을 초월한 존재라는 사실을 기억함으로써, 외부에서 일어나는 사건들에 대해 상처받지 않을 수 있습니다.

예를 들어, 누군가가 나에게 모욕적인 말을 했다면, 그 말은 나의 참된 본질, 즉 나의 영적인 본성을 훼손할 수 없습니다. 그 말은 단지 나의 몸이나 마음을 자극할 수 있을 뿐이며, 나의 본질은 상처받을 수 없는 순수한 의식이라는 것을 깨닫게 되면 그 말에 휘둘리거나 상처받지 않게 됩니다.

이러한 깨달음은 내가 느끼는 감정과 고통이 진짜 나에게 가해진 것이 아님을 인식하게 해주며, 그로 인해 용서의 마음을 품고 그 사람의 행동을 초월할 수 있는 힘을 얻게 됩니다. 이는 단순한 방어가 아닌, 자신의 본질에 대한 깊은 이해에서 나오는 평화로운 상태입니다.

이런 인식을 체화하려면 수행이 필요하며, 제 저서 '카르마 정화와 깨달음을 위한 심리치유&마음공부'에서 '깨달음의 지혜' 부분을 읽고 수행해보시길 권장드립니다.

두 번째, 그 사람의 말과 행동은 그 사람의 순수한 본질(의식) 위에 씌워진 일종의 프로그램 된 것(마음)으로써, 의식수준에 따라 나온다는 것을 앎으로써 그 사람을 미워하는 것이 아니라 그의 프로그램 된 무지에 대해 연민의 마음을 품을 수 있습니다.

미국의 정신과 의사이자 영적인 스승이셨던, 데이비드 호킨스 박

사님은 "인간의 마음은 순진무구해서 진실과 거짓을 구분하지 못한다"는 말씀을 하셨습니다. 이는 우리의 마음이 일반적으로 정보를 필터링하거나 의심하지 않고 받아들이는 특성이 있고, 의심한다 하더라도 그것의 참, 거짓을 정확히 분간할 능력이 없기 때문에 사람의 마음에 대해 연민을 가지라는 의미로 이해할 수 있습니다.

예를 들어, 어릴 적부터 자신이 "능력이 없다"라는 말을 자주 들은 사람이 있다고 생각해봅시다. 그 사람의 마음은 그 말을 진실로 받아들이게 되어 자신을 무능력하다고 믿습니다. 사실 이 말은 그 사람의 진정한 능력을 반영한 것이 아니지만, 마음은 그것을 비판적으로 판단하지 않고 순진하게 받아들입니다. 시간이 지나면서 그 믿음은 그 사람의 자존감과 자신감에 영향을 미쳐, 실제로 자신의 능력을 발휘하지 못하게 하는 결과를 초래할 수 있습니다.

이처럼 마음이 진실과 거짓을 구분하지 못하는 상태에서는 외부로부터 받은 잘못된 정보나 부정적인 생각이 우리 삶에 깊은 영향을 줄 수 있습니다. 따라서 우리가 마음의 이런 순진무구한 특성을 알고 나 자신을 포함한 사람들의 겉모습이 아닌 마음을 보고 그들의 언행과 내면에 대해 이해, 연민, 자비의 마음을 낼 수 있습니다.

세 번째, '내가 언제 어떤 인연을 지었는지는 모르겠지만, 내가 지은 대로 지금 받고있는 것이구나'라는 인식 또는 믿음을 가짐으로써 타인에 대한 원망을 수월히 내려놓을 수 있습니다. 그리하여, 복수를 통한 추가적인 업보(복수의 굴레)를 짓지 않고 업보의 주고 받음이 마무리됩니다.

이런 관점에서는 '가해자와 피해자는 없고 그저 업연 즉 인연의 흐름 속에서 자동반사적으로 일어나는 일들이 있을 뿐이다'라는 인식이 피어납니다. 따라서 누군가를 가해자로 지목하고 원망하거나 용서한다는 것은 나의 어리석음의 결과이며 허망하다는 인식을 바탕으로 원망이 사라집니다.

4.17 통합 확언

아래 내용들을 용기, 수용, 용서, 이해, 사랑, 평화 등 심리 치유적 요소가 대부분 들어간 통합 확언으로써, 확언을 하는데 응용하면 도움이 됩니다. 읽어보고 확언을 만들 때 사용해보시길 권장드립니다.

1)나는 이 문제와 관련된 모든 사건과 상황에 대한 제 생각과 감정을 내려놓고, 이 상황을 깊이 받아들이며, 관련된 모든 사람과 모든 것을 진심으로 용서합니다(용서하기로 선택합니다). 나는 진정으로 평화롭기를 선택합니다.

2)나는 왜 이런 문제가 생겼는지 정확히 알 수 없지만, 제 인생에서 상처받았다고 느낀 모든 사건과 사람들에 대한 원망을 이제 완전히 내려놓고, 현재의 나 자신을 있는 그대로 받아들이겠습니다.

3)주여, 저는 돈이 있든 없든, 건강하든 아프든, 상황이 좋든 나쁘든, 이제 저를 힘들게 했던 모든 사건과 사람들을 마음속 깊이 용서하고 놓아주려 합니다. 원망과 미움이 나를 해치고 행복을 방해한다는 것을 알기에, 과거의 일에 대한 분노를 이제는 진심으로 멈추고 싶습니다. 모든 일이 나름의 이유로 일어났음을 받아들이고, 제 삶에 감사하며, 저 자신을 이해하고 믿고 사랑하기로 선택합니다. 이를 통해 제가 진정으로 원하는 변화를 만들어내겠습니다.

4.18 목표달성을 위한 EFT

자, 이제 심화 내용 열 여섯 번째, EFT의 총체적인 과정을 살펴보겠습니다. RTD라고도 하는데, Recognize, Transform, Decide의 약어입니다. 의미를 풀어보면, 내 문제를 인식하고 자각하여, 이 문제를 해결하고 변화를 만들어낸 후에, 앞으로의 방향을 결정하고 선택하는 것입니다.

1) Recognize 문제 자각입니다.

첫 번째, 현 문제 상황이나 통증 등을 파악합니다.

두 번째, 문제와 연관된 감정을 확인합니다. 자주 느끼는 부정적인 감정이 될 수 있습니다.

세 번재, 신념을 확인합니다. 자아상, 인간관, 세계관을 파악하면 되겠죠. 나, 사람들, 세계에 대해 찝찝한, 불편한 또는 부정적인 믿음, 생각이 있는지 확인하는 것입니다.

네 번째, 사건을 확인합니다. 현재 상황의 근본 원인이 되는 것으로 추측되는 핵심 사건을 탐색합니다. 핵심 사건은 주된 감정을 느낀 최초의 사건, 살면서 가장 힘들었던 경험 또는 사람, 문제가 처음 시작됐던 때 즈음의 사건이 될 수 있습니다.

2) Transform 변화입니다.

첫 번째, 탐색한 부정적인 요소를 EFT로 해소합니다.

두 번째, 미래를 확인합니다. 무슨 말이냐면, 이전이었으면 문제가 될 만한 상황과 비슷한, 가까운 미래의 상황을 경험하는 걸 상상해보고 찝찝하거나 불편한 마음이 있는지 확인합니다. 남아있다면 해소하고 없다면 넘어갑니다.

세 번째, 이 문제 상황의 의미를 찾아보는 것입니다. 시련에는 저마다의 의미가 있습니다. 문제가 나에게 주는 메시지나, 내가 이 문제로부터 무엇을 배웠는지 생각해보세요.

3) Decide 새로운 결정입니다.

첫 번째, 목표를 설정합니다. 문제가 해결된다면 앞으로 어떤 삶을 살길 원하는지 구체적으로 생각해보고 설정하세요.

두 번째, 내가 살길 바라는 삶을 상상해볼 때, 내면에서 '난 어찌어찌해서 못 이룰거야', '난 자신없어' 등의 저항이 느껴지면 그것을 EFT로 다루어 해소합니다. 물론 EFT 이전에 내가 원했다고 생각했던 삶의 목표가 EFT 이후에 변화 될 수도 있습니다.

예를 들면, 이전에는 남에게 잘 보이고 싶어서 A라는 목표를 원했다면, EFT로 두려움이나 남에게 잘보이고 싶은 마음을 해소한 뒤에는 더 이상 A라는 목표를 원하지 않고 B라는 목표를 원하게 될 수도 있습니다.

세 번째, 내가 원하는 삶을 정했고 그것이 이루어진 이미지를 상상해보고 그때의 감정을 생생하게 느껴 볼때 알 수 있는 내면의 저항을 해소했다면, 이제 일상에서 이 목표를 생생하고 구체적으로 상상하고 감정을 느끼고 마치 그것이 현실인 것처럼, 당연히 내가 누릴 수 있는 것으로 느낄 수 있다면 거의 완성 된 것입니다.

이제 현실에서 이미지 트레이닝과 함께 그게 이미 이뤄진 것처럼 자신감 있고 평온한 감정 그리고 감사함을 느끼는 걸 반복하면 됩니다. 이런 이미지 트레이닝과 긍정적 감정을 더 자주 느낄수록 더 빨리 가까운 미래에 펼쳐질 것입니다.

참고로 감사함은 내가 일어나길 바라는, 마음속에 품은 이 일이 이미 이루어졌음을 알고 감사하는 것입니다. 예를 들어, 내가 시험을 쳤는데, 합격할 자신이 넘쳐난다면, 아직 결과가 나오지 않아도 감사한 마음이 들겠지요? 이처럼 잠재의식 속에 장애물이 없으면 일은 저절로 이루어집니다. 그리고 내면에 꼬리표(심리적 저항)가 없다면 자연스레 일이 될것이라는 확신이 마음속에 넘칠 것입니다. 따라서 안된다는 마음만 없으면 일은 되기 마련입니다.

마지막으로 위 과정과 관련된 수용확언의 예를 말씀드리겠습니다.

문제진술(Recognize) > 의미확인&수용확언(Transform) > 선택(Decide)확언 이런 순서로 이뤄집니다.

문제진술(Recognize) : '비록 나는 어떠어떠한 문제로 힘들었지만'

의미확인(Transform) : '이것이 나에게 어떠어떠한 메시지를 준다는 것을 알고'

수용확언(Transform) : '이해하고 받아들이고 깊이 감사합니다. 나

- 171 -

는 내가 더 성장하고 내 자신을 바로 볼 수 있도록 도와준 인연
이 된 모든 존재, 상황들에 대해 감사하고 축복합니다.'

선택확언(Decide) :
'나는 이제 진정으로 내가 붙잡고 있던 모든 부정적인 것들을 내
려놓고 평화롭고 행복한 삶을 선택합니다. 나는 내 인생의 주인이
며 내가 원하는 삶을 살기로 선택합니다.'

4.19 EFT 감정노트 머리말

마음을 치유하기 위해서는 마음을 들여다보고 불편한 요소들을 찾아 그것을 변화시켜야 합니다. 즉, 불편한 마음을 알아차리는 게 필요하고 그것을 변화시킬 효과적인 방법이 있어야 합니다. 그런데 우리는 눈 앞에 놓인 삶을 살아가는게 바쁘다 보니, 시간을 내어 마음을 들여다 보기 힘들고, 내 마음 속에 어떤 불편한 요소가 있는지 알아도 그것을 어떻게 해소할 지 그 방법을 잘 모르는 경우가 많습니다.

제가 최면상담을 하면서 느낀 점은, '최면상담을 통해 효과를 보는 많은 내담자님들이 계시지만, 이 분들이 스스로 마음을 들여다 보고 그것을 해소하는 방법을 알아 그것이 습관이 되게 하면 더 빨리 좋아질 수 있을텐데'라는 아쉬움이었습니다. 그래서 이 감정노트를 제작했습니다. 매일매일 30분 정도씩 시간을 내어 자기의 마음을 느끼고 적어가다 보면 위에서 말씀드린 자기 마음을 들여다 보는 습관이 생길 것입니다.

EFT 감정노트는 흔히 알려져 있는 감정노트에 감정자유기법 즉, Emotional Freedom Technique(이하 EFT)을 추가하여 마음을 들여다보고 글로 쓴 후 불편한 마음이 있다면 그것을 그때그때 해소하자는 취지로 만들어진 것입니다. 시중의 감정노트, 감정일기를 작성하더라도 감정이 일부 해소되는 효과가 있습니다. 하지만 완전하게 해소는 안됩니다.

저에게 상담 받으셨던 한 내담자님은 다음과 같이 말씀하셨습니다. '글로 한 감정 해소는 글을 다시 읽으면 감정이 읽힌다. 글에 느낌이 묻어있다. 하지만 진짜 해소한 감정은 특별하게 느껴지지 않는다' 즉, 무덤덤하게 느껴지고 감정이 완전히 해소된다는 것이었습니다. 그래서 감정노트에 EFT 과정을 결합하여 안내하는 노트를 만든 것입니다.

EFT 감정노트 작성을 100일 동안 반복해 나가면 내 마음에 대한 메타인지, 즉 알아차림 능력이 커지고, 괴로움에 이전보다 덜 끌려다니게 됩니다. 이전에는 우울함이 올라오면 어쩔줄 몰라 괴로워하고 술마시고 폭식하고 게임하고 무기력하게 침대에 있고 그랬다면, 이제는 자신의 마음을 손으로 쓰고 EFT를 적용해 바로 풀어버려 더욱더 신속하게 일상으로 복귀할 수 있게 되는 것입니다.

저는 최면상담은 일종의 응급수술이고 마음공부 즉, 내면을 정화하는 작업은 재활치료라고 생각합니다. 그래서 마음이 많이 아프신 분은 가급적 두 가지 방법을 병행하고, 그래도 좀 살만하다 싶으신 분은 마음공부만 꾸준히 해나가시면 좋겠다고 생각합니다. 저는 내담자 분들이 무한정 저에게 와서 상담받으시길 원하지 않습니다. 꼭 필요한 만큼만 상담을 받은 뒤에는 스스로 자생력을 길러 건강하게 독립적으로 살아가셨으면 좋겠습니다. 그렇게 살기 위한 방법의 일환이 바로 감정노트를 작성하는 것이 될 것입니다.

살면서 겪은 일들로 인해 부정적인 감정이 일어나고 또 감정이 반복되면 신념이 됩니다. 그리고 우리가 이 감정과 신념들을 회피하고 억압하면 그 억압된 감정과 신념 때문에 자꾸 부정적인 생각이 떠오르고 결국에는 몸과 마음의 병이 발생합니다.

우리가 흔히 부정적인 감정이라고 보는 감정들은 비슷한 상황에서 우리가 또 상처받지 않기 위해 즉, 생존을 위해서 마음이 만들어낸 방어기제입니다. 그래서 내 마음속에 떠오른 여러 감정들을 좋은 감정 나쁜 감정이라는 분별없이 내가 주의를 기울여야 할 하나의 중립적인 의미의 신호로 받아들이고, 차별없이 충분히 느껴주며 해소해 줄 때 내 마음엔 평온이 자리잡기 시작합니다.

감정은 우리 영혼의 언어라고 할 만큼 우리 존재의 핵심이기 때문에 내면의 감정을 알아차리고 우리 스스로가 충분히 공감하고 지지해 주는 것은 스스로를 존중하고 사랑하는 것입니다. 부정적인 감정이라도 적대시해서 없애려고 또는 회피하려고 하지 마시고 우리가 반려동물을 바라보는 마음, 부모가 자식을 바라보는 그런 사랑의 마음으로 대해주시기 바랍니다.

다시 한 번 말씀드리자면, 마음 속에 일어나는 모든 생각, 감정들을 없애거나 피하려 하지 않고 존중과 이해 그리고 연민의 태도로 있는 그대로 느끼며 받아주는 것이 진정으로 자기를 사랑하는 것입니다.

이 감정노트를 통해 많은 분들이 괴로움에서 벗어나 평온한 삶을 살아가시길 간절히 기원하며 글을 마칩니다. 혹시 작성해 나가시다가 궁금하시거나 이 책을 발전시킬 더 좋은 아이디어 또는 기타 하고 싶으신 말씀이 있으면 언제든지 편하게 연락주세요.

감정노트 양식이 더 필요하신 분은 'EFT 감정노트 30 Days' 도서 구입을 추천드리며 이 책은 '부크크' 사이트에서 구입 가능합니다.

4.19 행복 감정노트 머리말

EFT 감정노트를 제작한 지 1년 정도가 지났습니다. 감정자유기법의 줄임말인 EFT와 감정노트를 결합한 이 EFT 감정노트를 만든 이유는 최면상담을 받는 내담자가 감정 해소하는 법을 직접 익힌 후 하루에 30분 정도 시간을 할애해 마음을 들여다보고 불편한 마음을 손으로 쓰면서 감정을 해소해 나가시길 바랬기 때문입니다. 그리고 지난 1년 동안 실제로 많은 내담자들이 감정노트를 이용해 자신의 마음을 들여다보고 평온함을 찾는데 도움을 받았습니다.

감정노트를 작성하신 분들의 경우 상담 시 부정적인 감정이나 신념의 해소가, 그렇지 않은 분에 더 빨랐습니다. 왜냐하면, 감정노트를 작성하신 분들은 상담이 없는 평상시에 자신의 마음을 들여다보고 괴로움이 왜 일어나는지 반성했습니다. 그리고 그 불편함에 대해 감정자유기법을 적용해 본인이 할 수 있는 최선을 다해 해소했습니다.

하지만, 본인 스스로는 해결이 어려운 부분도 있었는데, 그 부분은 이메일을 통해 저와 피드백을 주고받으며 본인이 해결할 수 있는 부분은 해결하고 해결하기 어려운 부분은 상담을 통해서 해결했습니다. 이 과정에서 본인이 왜 괴로운지에 대한 통찰이 생기고, 집착을 어느 정도 내려놓게 되며, 타인의 입장에서 생각하는 힘이 생긴 것처럼 보였습니다.

저는 이 부분을 '마음의 성숙'이라는 단어를 써서 표현하는데, 이렇게 내담자의 마음이 상담과 상담 사이에 성숙된 채로 오면 상담 과정에서 내담자의 막힌 부분이 수월하게 뚫리게 되는 경험을 여러 번 할 수 있었습니다.

이렇게 내담자의 치유를 도우면서 감정노트를 제작하게 된 목적이 달성되는 것을 확인했습니다. 하지만, 아쉬운 점도 있었는데, 그것은 어느 정도 괴로운 마음을 벗어나 인생이 좀 살만해졌지만 공허함을 느끼시는 분, 인생 목적을 잃어버리신 분들 또는 인생이 지루하거나 목표를 이루었지만 인생이 허무해 갈피를 잡지 못하는 분들을 뵈었을 때 이분들 위한 어떤 감정노트 같은 것이 필요하다는 점이었습니다.

물론 '카르마 정화와 깨달음을 위한 심리치유&마음공부'에 이런 분들을 위한 조언이 있었지만, 책 한 번 읽는다고 인생이 바뀌는 것은 아니기에, 감정노트처럼 일상에서 꾸준히 실천하고 반성하는 그런 것이 필요해 이 책을 집필하게 되었습니다.

저도 위와 같은 공허함이나 권태를 느끼는 상황을 겪어보았고 결국 극복했습니다. 그래서 그 때의 경험을 바탕으로 인생의 공허함과 권태 등을 벗어나는데 도움이 되는 6가지 강력한 삶의 태도를 소개해드립니다. 그 6가지 태도는 바로 용서, 감사, 사랑, 마음 바치기, 원 세우기, 현재에 깨어있기입니다. 용서는 분노를 다루는데 유용하고, 감사는 욕심을 다루는데 유용하고, 사랑은 어리석음을 다루는데 유용하고, 마음 바치기, 원 세우기 그리고 현재에 머무르기는 욕심, 분노, 어리석음을 신속히 알아차리고 그것에 끌려가 괴로워지는 것을 초반에 방지하고 해소하는 역할을 합니다.

굳이 순서를 말하자면, 현재에 깨어있는 연습을 통해, 괴로운 생각이 올라오면 이 마음을 알아차려 끌려가지 않고, 마음 바치기를 통해 알아차린 마음을 바치며, 원 세우기를 통해 이타적이고 긍정적인 마음을 연습하고, EFT를 통해 괴로운 생각 아래 감정을 해소하고, 용서, 감사, 사랑의 태도로 긍정적인 방향으로 나아가는 것을 연습하는 것입니다. 이 전체적인 과정의 연습에 도움이 되는 것이 바로 이 행복노트입니다.

이 6가지 태도는 저도 현재까지 매일 실천하고 있으며, 이 태도들을 계발한 뒤에는 누구를 원망하는 마음을 잘 내지 않게 되었고, 제가 제 삶의 주인이 되었으며, 주어진 환경에 감사한 마음으로 나 자신과 타인 그리고 이 사회를 향해 평온한 마음으로 살 수 있게 되었습니다. 따라서 여러분이 이 행복노트를 100일간 매일매일 꾸준히 실천해 나가시면 용서, 감사, 사랑, 마음 바치기, 원 세우기, 현재에 깨어있기 이 6가지 태도를 계발해나가는데 큰 도움이 될 것입니다. 작성해갈수록 마음이 편안해지는 것을 직접 경험해보시길 바랍니다.

책에 실린 6가지 삶의 태도에 대한 과학적인 연구 결과들은 굳이 꼭 필요한 내용은 아니지만, 스승님들의 말씀과 제 경험이 맞다는 것을 확인해보고자 찾아서 싣게 되었습니다. 또한, 어떤 분들은 저자의 말이 아닌 과학적인 연구 결과를 보고 믿음이 생겨 실천하실 수 있기 때문에, 연구 결과와 관련된 내용이 그런 분들의 6가지 태도 실천에 조금이나마 도움이 되었으면 하는 바람입니다.

이 행복노트를 통해 많은 분들이 탐(욕심), 진(분노), 치(어리석음)에서 벗어나 현재 깨어있는 평온한 삶을 살아가시길 간절히 기원하며 글을 마칩니다. 혹시 작성해 나가시다가 궁금하시거나 이 책을 발전시킬 더 좋은 아이디어 또는 하고싶은 말씀이 있으면 언제든지 편하게 연락주세요.

이 행복노트 양식이 더 필요하신 분은 부크크에서 'EFT 행복노트 30 Days' 도서 구입을 추천 드립니다.

자, 그동안 EFT에 배우느라 고생하셨습니다.

궁금하신 것이 있으면 아래 메일로 연락주시고. 한 번 책을 읽었다고 내것이 되지 않습니다. 최소 3번은 반복해서 읽고 또 적용해봐야 내것이 되니, 여러번 반복해주세요. 마지막으로 조언을 하나 드리면 EFT 감정노트를 이용해 처음에는 꼭 '적으면서' EFT를 해나가시길 권장드립니다. 감사드리고 평온하시길 바랍니다.

sjy12282@naver.com